リンパの科学

第二の体液循環系のふしぎ

加藤 征治　著

ブルーバックス

カバー装幀／芦澤泰偉・児崎雅淑
カバーイラスト／西口司郎
本文デザイン・図版制作／あざみ野図案室

はじめに

「リンパ」ってなに?

ヒトのからだは約60兆個に及ぶ多くの細胞からつくられており、細胞の内外に多量の水分が含まれています。私たちの身体の大部分は、水でできているといっても過言ではないでしょう。細胞内にある「細胞内液」は、体内の水分の中で最も大きな体積を占めています。

一方、細胞外の水は「体液」とよばれ、第一に体内を循環している「血液」、第二に「リンパ」、さらに、第三の体液ともいえる「脳脊髄液」があります。これら体液は、臓器内の細胞や組織で構成されている微小環境における物質交換、水分や老廃物などの排出を行い、体内をめぐること、すなわち〝循環〟によって生体の内部環境の恒常性を維持する重要な機能を果たしています。

それでは、「リンパ」とはいったいどんな体液なのでしょうか? 血液とはどう違うのでしょうか? そして、リンパはどのようにして生じ、どのようにして流れるのでしょうか? これらの疑問はいずれも、生体の成り立ちと働きを考えるうえでたいへん興味深いものばかりです。

「リンパ」とは、まず血液に対比する言葉として、リンパ液のことを示しています。リンパは血管から周囲の組織に漏れ出た成分である「組織液」を吸収したもので、血液に細胞成分（血球）と液体成分（血漿《けっしょう》）があるように、リンパにもまた細胞成分（主にリンパ球）と液体成分（リンパ漿）が含まれます。リンパは血液と似てはいますが、やや黄色味を帯びる程度で、赤血球を多く含む赤い血液ほどは目立ちません。古来、〝白い血〟ともよばれてきました。

「リンパ学」におけるリンパは、厳密には、リンパ管の中を流れるリンパ液を指します。しかし、一般の方々はもちろん、医療に携わる人たちでさえ、「リンパの検査」「リンパの摘出」などとよくいいます。リンパということばは、慣用的にリンパ液に限らず、リンパ管やリンパ球、リンパ組織（リンパ節ほか）を含めた広い意味に使われることが多いようです。

リンパ系といえば、広く組織液を吸収・排出し、不要な老廃物を交換し、生体環境を維持するとともに、全体としてリンパ球やリンパ組織、リンパ器官を含み、生体の免疫機能にも深く関与するものです。

「顔がむくむ」のはなぜ？

健康志向と美容ブームの高まりから、「むくんだ顔に健康と美容のためのリンパマッサージ」などという表現をよく見聞きします。「むくむ」とは、どういうことなのでしょうか？

「むくみ」は一種の水ぶくれのようなもので、医学的には「浮腫《ふしゅ》」とよばれます。そのうち、何らかの原因によるリンパ管系の機能低下でリンパの流れが悪くなったり、停滞したりして起こるものを「リンパ浮腫」といいます。

また、手や足の傷から、あるいは風邪などの感染によって、腋《わき》の下や足の付け根、さらに顎《あご》の下や頸部などに〝ぐりぐり〟ができ、「リンパ腺が腫れた」（いわゆるリンパ節炎）などという表現を使うことがあります。さらに、がんにかかった患者さんたちから「がんがリンパに転移し、再発した」（リンパ節転移）などといった専門用語を聞くこともあり、「リンパ」がリンパ浮腫やがんの診断・治療と重要な関係があることに対する関心が急速に高まってきています。

「リンパは流れる」

血管系では、心臓という〝ポンプ〟の駆動によって血液が押し出され、からだのすみずみで毛細血管網によって動脈と静脈が交流し、血液はとどまることなく循環しつづけています。

一方、同じ循環器系（脈管系ともいう）でも、リンパ管系の源流は組織液を吸収する毛細リンパ管です。リンパ管は集合してリンパ管網をつくり、一定方向に流れて集められたリンパは、最終的に太いリンパ管（胸管）が静脈に接続して血液に流入し、体液（水分）量を維持しています。

心臓という〝ポンプ〟をもたないリンパ管では、リンパの輸送はどのようにして行われているのでしょうか？　からだの位置（重力）や姿勢によって、リンパ管周囲の筋肉などの組織が動くことに伴って受動的な管壁の収縮が生じ、くねるような蠕動《ぜんどう》運動をしたり、弁の開閉によってリンパが行ったり来たりする振り子運動などによって運ばれます。

近年では、リンパ管の収縮は周囲の組織からの受動的な動きばかりでなく、リンパ管壁の自発的な収縮によっても起こることがわかってきています。健常状態では、血流と比べてきわめてゆっくりとではありますが、確実に流れているのです。

流れの途中には、リンパ管に入ってきたリンパの中の細菌などの異物をとらえる「関所」のようなリンパ節がたくさんあります。リンパ節内で種々の生体反応を起こしながらも、リンパはリンパ節を通り抜けて、やがて静脈に合流するまで流れつづけてゆきます。

「リンパ学」の現在と未来

心臓や血管壁の病気である心筋梗塞や脳梗塞などは、死亡率が高いゆえに、診断と治療法の確立が注目され、解明が比較的進んできました。古くから「血管のないところにリンパ管はない」といわれるほど、リンパ管は発生的にも機能的にも血管と密に関連していることが知られています。もっといえば、リンパ管系は「第二の体液循環系」として独自の解剖生理的、病態生理的な役割を有し、血管系とは異なる性質を数多くもっているのです。

ところが、さまざまに観察されてきたわりには、リンパ管系の研究は血管ほど盛んではなく、病態についても不明な点が多く残っています。なぜでしょうか？

まず第一に、血管と比べてリンパ管の観察が難しいという問題があります。また、臨床医学的には、リンパ管系は血液—組織液—リンパの体液循環を支え、生体の恒常性の維持に重要な働きをしているものの、血管系の疾患ほど直接生命に関わる危険性が高くないことも挙げられます。近年、高血圧や動脈硬化、糖尿病などの生活習慣病の一因として、血管系の老化現象が注目を集めていることも理由の一つでしょう。

本書の前半では、まず「リンパとは何か？」という疑問に焦点を当て、リンパやリンパ管に初めて出会った先駆者たちの驚きのドラマをご紹介します。そして、古来、リンパ学研究者の夢を膨らませてきた「リンパはどう生じ、どう流れるのか？」を解明するため、からだのいろいろな臓器のリンパ管網の姿を説明し、第二の体液循環系としての進化のようすを概観します。

後半では、近年の臨床医学・医療において、リンパ系に関して注目されている二つの話題について述べます。

一つは「リンパが流れなかったらどうなるか？」。身近な健康問題でもある〝むくみ〟の主体となる「リンパ浮腫」の病態と治療についてです。「リンパ浮腫」発症の原因はさまざまですが、がんの外科的治療（手術によるリンパ節切除）や放射線治療後に生じる二次性の「リンパ浮腫」などは、日常生活の動作（ＡＤＬ）や生活の質（ＱＯＬ）と関連して重要な課題として注目されています。

もう一つは、微小リンパ管網から成るリンパ循環系（微小循環学）としてのリンパ管系の働きについてです。リンパ系は、リンパ節などの組織で細菌など異物に対して免疫反応を起こし、生体防御の役割を果たしています。特に、がんがどのようにしてリンパ管を経由してリンパ節に転移し、広がっていくのか、がんの転移の〝見張り役〟といわれるリンパ節（近年話題の「センチネルリンパ節」）について、腫瘍学との関連性から、〝リンパのふしぎな働き〟について述べます。

これまでの心臓・血管系の血液循環の知識に加えて、第二の体液循環系としてのリンパ管系の特異的な働きについて、読者のみなさんのご理解が深まれば幸いです。

リンパの科学——第二の体液循環系のふしぎ

もくじ

コラム

第1章 リンパの誕生

1－1 リンパ系の成り立ち

リンパはどのようにして生じるか？

年齢や男女によっても異なりますが、ヒトの体内の水分のうち、およそ3分の2は細胞内部の液（細胞内液）です。残りの3分の1は細胞外部の液（細胞外液）であり、組織間隙にある組織液（間質液）や血液の液体成分である血漿（ただし、フィブリノーゲンなど凝固因子を含む）などです（図1－1）。体重あたりの水分量を比較すると、新生児は成人より多く、女性は男性より脂肪が多いため水分量が少なくなっています（図1－2）。

細胞外液は、いわゆる体液とよばれます。体液には、血液（動脈・静脈）、リンパ液（本書では以下、リンパと略記）、脳脊髄液のほか、体腔（胸腔・腹腔）にある胸水や腹水、膀胱や尿路にある尿、さらに関節液（滑液）や眼球の中にある眼房水、硝子体液などがあり、それぞれとても重要な働きをしています。

循環器系の中心となる心臓から全身に出た動脈の血液量（安静時で1回の収縮あたり約70mL）を100％とすると、そのうち約90％は静脈から心臓に戻ります。しかし、残りの約10％は、からだのすみずみにある毛細血管網から漏れ出し、周囲の組織の間隙に間質液として溜まった組織液となります。体内における組織液の貯留は、水分の摂取量と排泄量（尿量など）のバランスによる新陳代謝によって調整されています。リンパ管の本幹である胸管のリンパ流量（還流量）はヒトでは1日約1・5～4Lであることから、組織液の循環による新陳代謝は数日単位と推察されます。

　毛細血管から漏れた血液中の水分や電解質、小量のタンパク質などは、組織間隙で組織液になります。後述するように、組織液は血漿成分に類似していますが、体内に侵入した細菌やウイルスを処理する白血球やタンパク質、脂質成分や老廃物・異物などを含んでおり、細胞に栄養を送ります。余分な組織液は血管とリンパ管に回収（吸収）されます。

　組織液が回収される経路には2通りあります。一つは、急に過剰に組織液が増加した際の対応として、速やかに吸収・排出するための経路です。過剰分の組織液の80～90％が一次的に

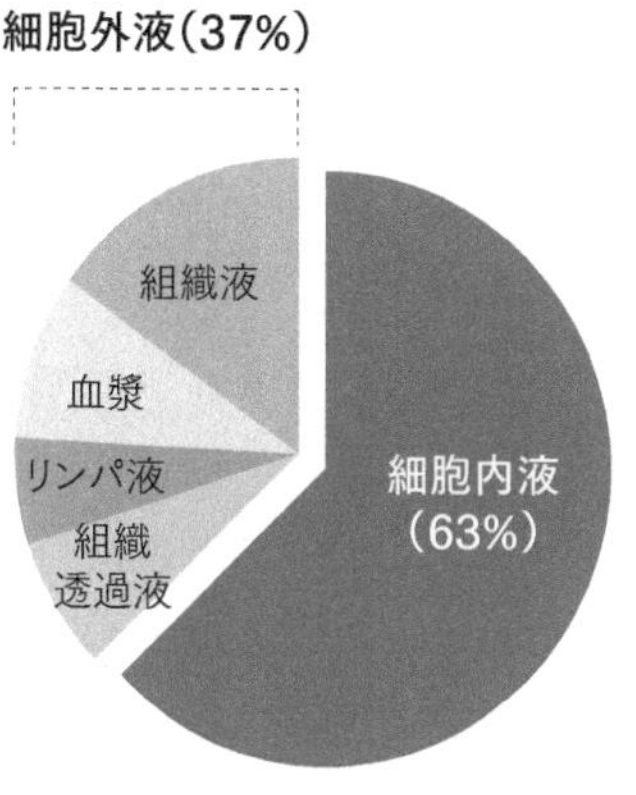

図1－1　体液の区分（細胞内液と細胞外液）　組織透過液：脳脊髄液、眼の眼房水、関節滑液、体腔の漿液など

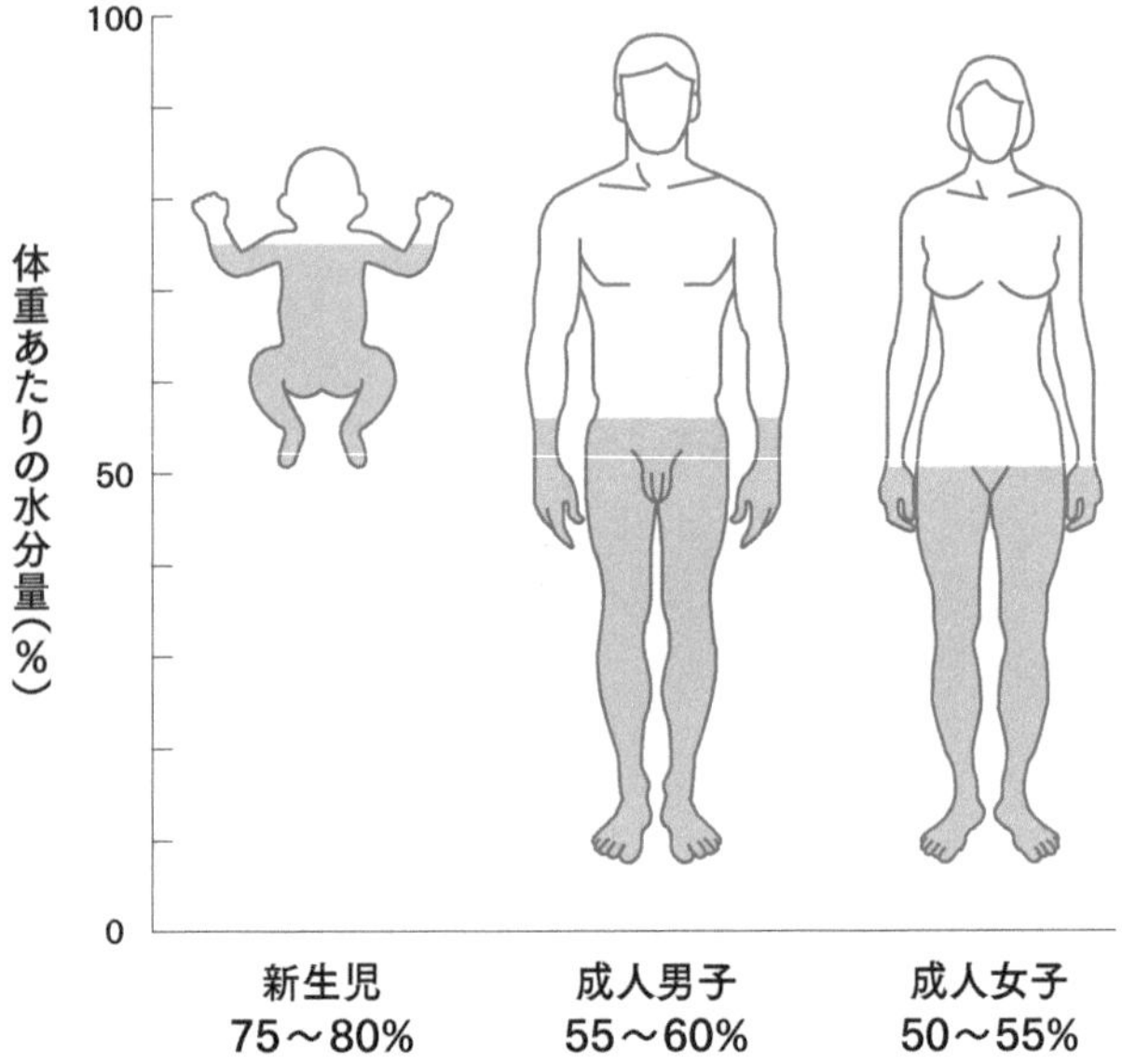

図1－2　体重に占める水分の比率

毛細血管あるいは細静脈の壁を通過して再吸収され、血液に戻ります。

もう一つは、時間とともにゆっくり溜まっていって、過剰となる組織液の10〜20%は、二次的にゆっくりと周囲の毛細リンパ管に吸収されてリンパとなります（図1－3）。リンパはいくつもの細いリンパ管が合流した集合リンパ管に集められ、最終的には血管に入って血液に戻ります。

何らかの理由によってリンパ管の中のリンパの流れが悪化したり、滞ったりすると、リンパが溜まってリンパ管は膨らみ、組織液のリンパ管への吸収量が低下します。リンパの

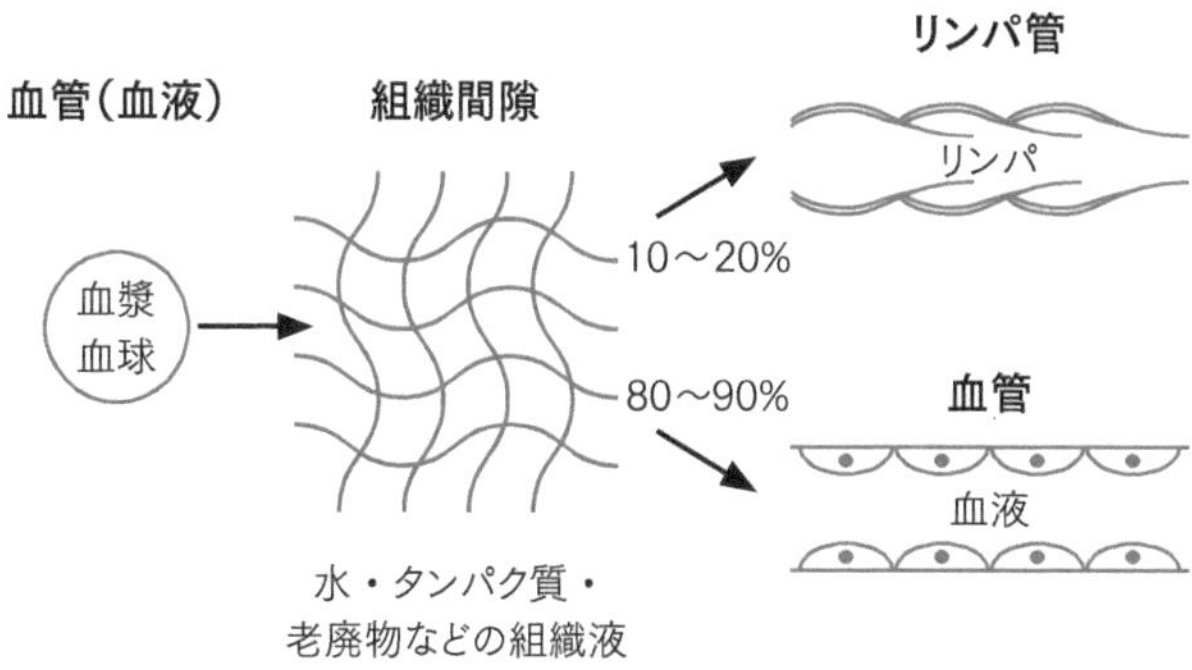

図1−3 リンパ（液）の誕生 組織間隙における組織液の2つの吸収経路

流れの停滞が原因で起こる「リンパ浮腫」については、一般によく知られているいわゆる「むくみ」（専門的には浮腫）も含めて、その病態から治療までを第5章で詳しく述べます。

リンパと血液はどう違うか？

血液が凝固するときに分離する透明な液体を「血清」といいますが、これをリンパの成分と比べてみると、電解質成分はほとんど同程度です（図1−4）。わずかに、リンパでは陽イオン（Na^{+}、K^{+}、Ca^{2+}など）が血清よりやや低く、陰イオン（Cl^{-}）はやや高くなっています。

リンパや血清には、アルブミン（分子量約6万7000）やグロブリン（分子量約9万〜15万6000）など種々のタンパク質が含まれています。溶液は含まれる物質の分子量が大きいほど、ドロドロして粘性が高くなります。

	組成	血清	リンパ
電解質(mEq/L)	Na^+	141	138
	K^+	4.3	3.8
	Ca^{2+}	4.7	4.2
	Mg^{2+}	1.9	1.7
	Cl^-	101	103
	HCO_3^-	23	24
非電解質(mg %)	ブドウ糖	87	95
	NPN	29	23
	クレアチニン	0.9	0.8
	尿酸	3.6	3.8
	ビリルビン	0.6	0.5
コレステロール(mg %)	総量	117	68
	遊離型	38	34
タンパク質(g %)	総量	6.6	4.4
	アルブミン(A)	3.4	2.7
	グロブリン(G)	3.3	1.7
	A/G	1.02	1.59

図1－4　ヒト血清とリンパ(胸管)の組成の比較(『リンパ管── 形態・機能・発生』大谷・加藤・内野編集、西村書店より引用)

リンパと血清の最も大きな違いは、リンパは血清に比べて総タンパク量が少ないことです。つまり、血清では、含まれるタンパク質のうち、アルブミンとグロブリンの比率はほぼ同じですが、リンパは分子量の低いアルブミンのほうが約60％多いのです。リンパのほうが血液より粘性が低く、さらさらで流れやすいため、ゆっくり流れていても循環できるわけです。

アルブミンは肝臓でつくられ、血液中に4g／dLあります。人体の血液量は体重の約

12分の1で、体重60kgの成人の場合で約５Ｌの血液が流れていますので、約２００ｇのアルブミンが含まれていることになります。

アルブミンはカルシウムやビタミンなどの栄養素を細胞に運び、細胞からは不要物を回収します。アルブミンの量が少なくなると、血液の浸透圧が低下して毛細血管壁から血漿が漏れやすくなり、組織液が溜まって局所に〝むくみ〟が生じます。これが、一般的な浮腫です。リンパ管の吸収低下やリンパの流出減少によって生じる浮腫が、いわゆる「リンパ浮腫」です。

リンパは、血管から血液が組織に漏れ出た組織液がリンパ管に吸収されたものであるため、含まれる物質も血液と似ており、血液の凝固に働くフィブリン（線維素）をつくる線維素原（フィブリノーゲン）を含んでいます。その量は血液と比べると少ないため、凝固の程度は血液ほどではありませんが、リンパも少し凝固します。

消化物のうち、脂肪の分解産物である脂肪酸やグリセリンは、小腸の腸絨毛の中心にあるリンパ管に吸収されます。それらを吸収したリンパは脂肪滴（カイロミクロン）を含み、白濁しているため「乳び」と称し、かつてはこのリンパ管のことを乳び管とよんでいました。最近の新しい組織学用語では、「中心リンパ管」と命名されています。

「リンパ」という名前の由来

「リンパ」ということばは、どこから来たのでしょうか？ リンパは、ラテン語では「Lympha」、英語は「lymph」、ドイツ語は「Lymphe」です。語源はギリシャ語の「nymphe」（ニンフェ、山や水の精、美少女、森の妖精）で、「きれいで透明な水」「泉などから湧き出る水」といったリンパ液の性状を表しています。

「リンパ」の発音は、ギリシャ語「nymphe」の〝ニンフェ〟からラテン語「Lympha」の〝リュンパ〟へと変化しましたが、欧米では「Lympha」は「リンファ」と発音されています。日本では、江戸時代にオランダ人から「リュンパ」という発音でこの語が伝えられましたが、それが「リンパ」という音訳として今日まで残っていると推論されています（恩師である粟屋和彦山口大学元学長、1991）。近年、ラテン語は死語といわれ、多くの国で使われなくなりましたが、遠く離れた日本で生きているのはふしぎです。

わが国初の西洋解剖学書の訳書である『解体新書』には、リンパに関して、「哇的爾、此ニ水ト翻ス」とあり、原本の『ターヘル・アナトミア』では「Lympha,Water」となっています。訳者の杉田玄白は、「Lympha」を無視して「Water」を水とだけ訳しているのです。ただし、のちになって、リンパ管に「水道」、その中身に「水液」の訳を当てています。

江戸時代の蘭学者たちの古い文献には「列印巴（レインパ）」、「淋発」などの術語が登場します。今も使われている「淋巴」の字は明治になってからのことで、淋巴管の語が見られますが、現在ではカタカナで「リンパ」と書くことになっています。リンパ管を流れるリンパの中の血球をリンパ球（lymphocytes）とよびます。

多数の赤血球を含む赤い血液（〝赤い血〟）に対して、リンパはその大部分が液体成分であり、赤血球はほとんど含まれないため薄い黄色を帯びています。リンパは組織液がリンパ管に吸収されたものですから、リンパに赤血球が含まれていれば、その流域に出血があることを示しています。

リンパの中にある血球は白血球であり、その大多数がリンパ球です。リンパはかつて無色とも表現されたように色が薄いため、紀元前５世紀の聖医・医学の父とされるヒポクラテス（紀元前460〜前377）によって〝白い血〟ともよばれました。ちなみに、古くから理髪店の店頭でくるくる回る三色の看板の赤・青・白は、一般に「動脈血」「静脈血」「包帯」を表すとされますが、ヒポクラテスの〝白い血〟の呼び名から、白はリンパを表しているのではないかという見解もあります。

1−2 第二の循環路としてのリンパ管系

血管系とリンパ管系

脊椎動物の血管系には、動脈系と静脈系の2系統があり、両者は毛細血管網（ネットワーク）を形成してつながっています。この循環形式は、血液が血管（動脈・静脈）内を閉鎖された状態で流れ、管外の組織内に開放されることなく動脈血から静脈血に移行するので、「閉鎖血管系」とよばれます。

閉鎖血管系を最初に発見したのは、英国の外科医ウイリアム・ハーヴェイ（1578〜1657）です。彼は、1628年に「動物の心臓ならびに血液運動に関する解剖学的研究」と題した論文を発表し、〝血液循環説〟を提唱しました。その後、1661年にマルセロ・マルピギー（1628〜94）が、動脈と静脈が毛細血管網によってつながっていることを明らかにし、17世紀までに血管系の基礎的な概念が確立されました。

図1－5「血液循環説」を唱えたウイリアム・ハーヴェイの銅像
(©The Bridgeman Art Library／アフロ)

コラム「医学の十大発見」

中世以降の西洋医学の発展の歴史において、最も重要な発見は何でしょうか？『医学の10大発見――その歴史の真実』（マイヤー・フリードマン／ジェラルド・W・フリードランド著、鈴木邑訳、ニュートン・プレス、2000）によれば、以下のように挙げられています。

第1位は1543年に有名な「ファブリカ」（人体構造論）を発表したアンドレアス・ヴェサリウス（1514～64、近代人体解剖）ですが、これに続いてハーヴェイ（血液循環）が堂々の2位にランクされていることはたいへん興味深い事実です（もっとも、選者が基礎系、臨床系のいずれの背景をもつ人であるかによって、順位はかなり変動しそうですが）。

ヴェサリウスといえば近代解剖学の祖ですから、2位にランク付けされたハーヴェイの〝血液循環説〟が医学の発展にとって、いかに重要な大発見であったかが推察されます。なにしろ、心臓の機能と血液循環を解明し、この発見からポンプとしての心臓の拍動、脈拍、血圧といった生理学の諸分野が始まったのですから。

ハーヴェイはまた、「医学に実験の原理を初めて導入し、また、身体とその各部は運動するものであり、生命それ自体が運動の連続であることを初めて認めた人」でもあります。その偉大な業績は、カンタベリーの母校の校門の壁に〝WH〟（ウイリアム・ハーヴェイ）と刻印され、故郷であるフォークストンの町の大通りに銅像が建立されることで顕彰されています。銅像の右手は左胸の心臓の位置にあり、左手には摘出した心臓を抱えています（図1－5）。

ちなみに、以下10位まで、アントニー・レーベンフック（バクテリア）、エドワード・ジェンナー（ワクチン接種）、クロフォード・ロング（外科麻酔）、ウィルヘルム・レントゲン（X線）、ロス・ハリソン（組織培養）、ニコライ・アニチコフ（コレステロール）、アレクサンダー・フレミング（抗生物質）、モーリス・ウィルキンズ（DNA）とつづきます。

半環状のリンパ流

リンパ管系としてのリンパ管の構造と機能については、腸で吸収したものが乳び管に入ること以外は長いあいだ不明のままでした。リンパ管が組織液の吸収管であることを初めて示したのは、ウイリアム・ハンター（１７１８〜８３）とその弟子たちです。ハーヴェイによる〝血液循環説〟の提唱から、１００年以上が経過した後のことでした。

血管系では血液循環というのに対し、リンパ管系では、リンパ球循環とはいっても、リンパ液循環とは表現しません。代わりに、「リンパ輸送」ということばを用います。なぜなら、リンパ管は体の末梢部分の組織内に端を発して、一方向にのみ流れるものだからです。

リンパ管の始まるところ（起始部）は細く、血管と類似した毛細リンパ管（欧米では主に起始リンパ管）とよばれますが、先端部は袋状に閉じた形（盲端とよびます）をしています。他

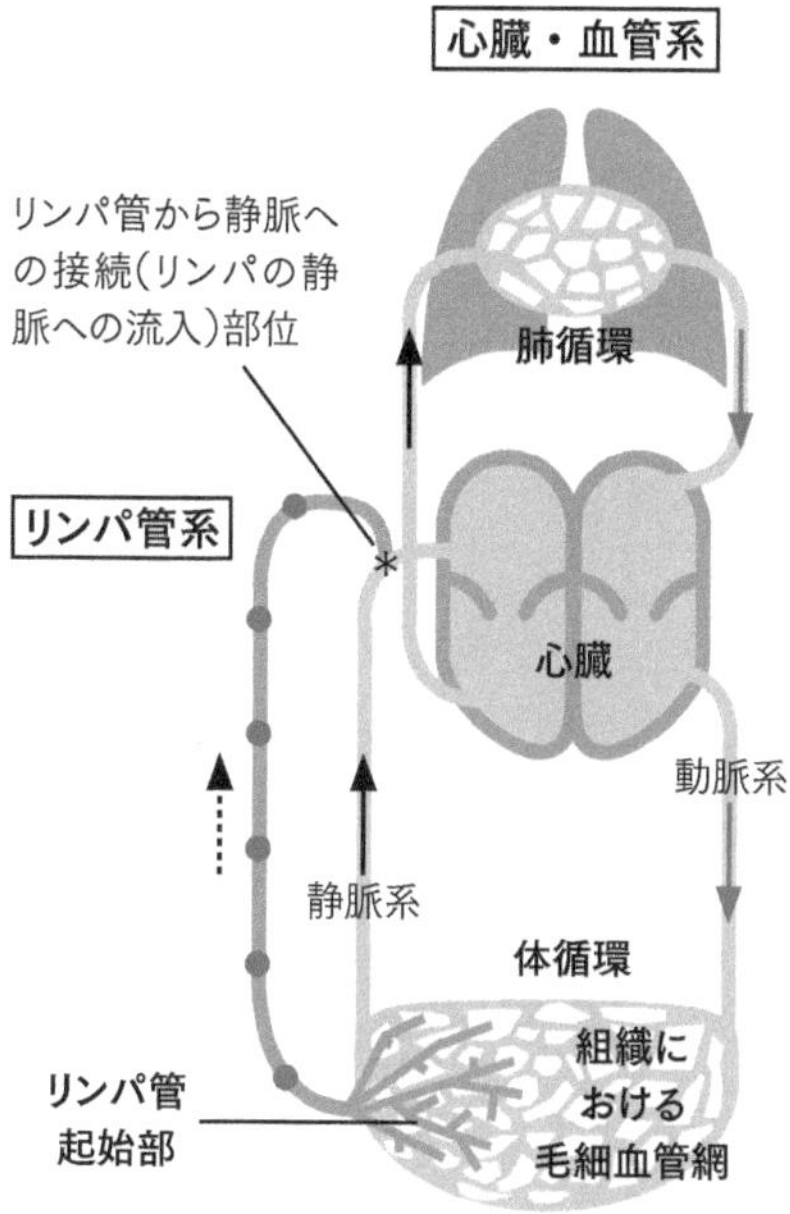

図1−6　心臓・血管系とリンパ管系の２つの循環系

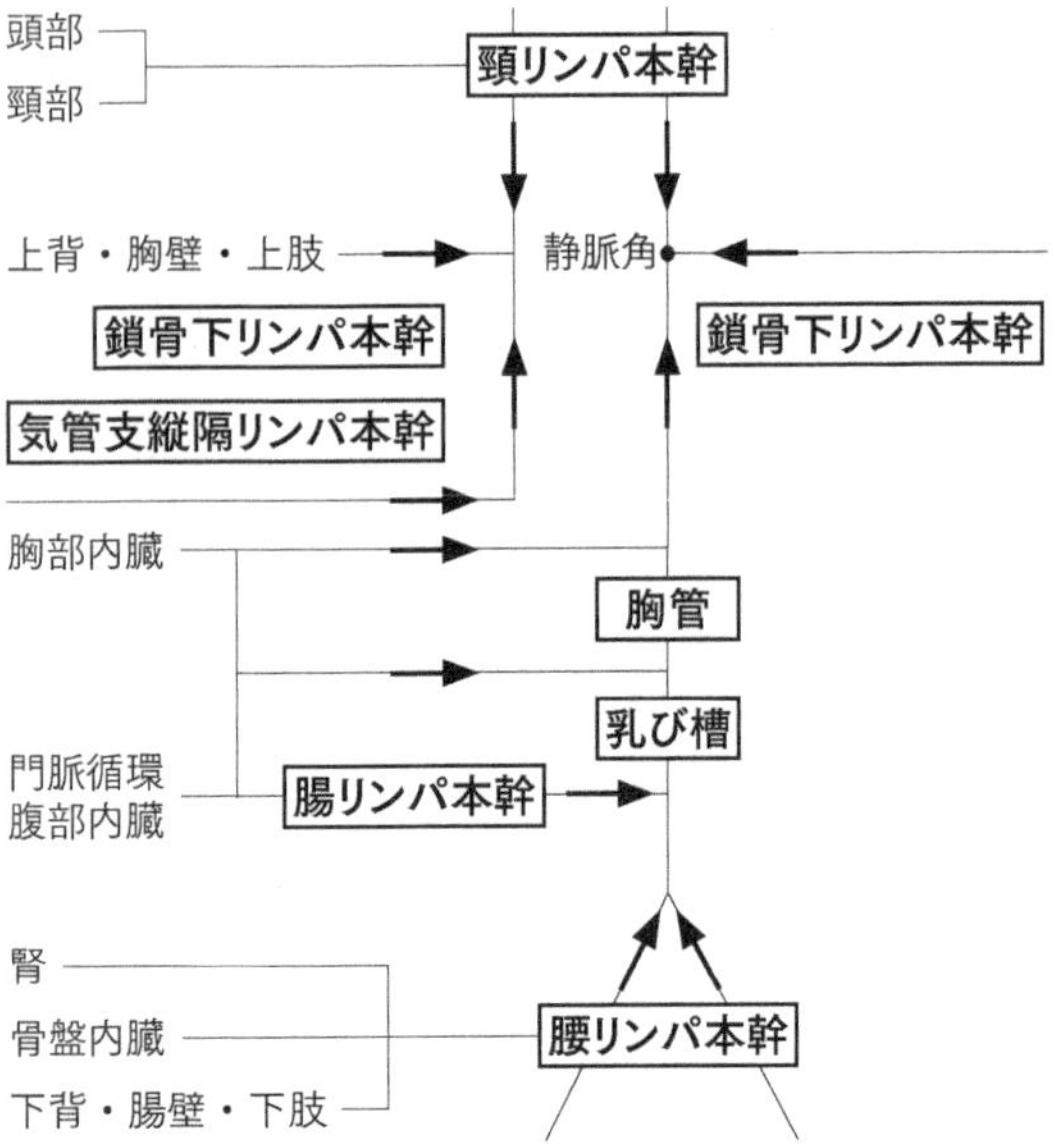

図1－7a　全身のリンパ管系の成り立ち：リンパの流れの方向（矢印）
（『休み時間の解剖生理学』加藤、講談社、2010より引用）

の部位より管壁を裏打ちする内皮細胞同士の結合がゆるく、間隙が開きやすいため組織液の吸収がよく起こります。毛細リンパ管は網状につながって集合リンパ管へと連なり、リンパはその中を太い胸管を経て、やがて静脈へと流れ込み、最終的には血液に戻ります。つまり、リンパの流れは環状の血管系とは異なり、半環状です（図1－6）。

図1－7aに、全身のリンパ管路をフローチャートで示しました。最終的に静脈に流れる集合リンパ管の主管を「リンパ本幹」とよんでいます。本幹の流

れについては、下半身と左上半身からのリンパ管は胸管に、右上半身からのリンパ管は右リンパ本幹に集まります（図１－７ｂ）。両者は、頸部でそれぞれ左右の静脈角（鎖骨下静脈と内頸静脈の合流部）に注ぎます。

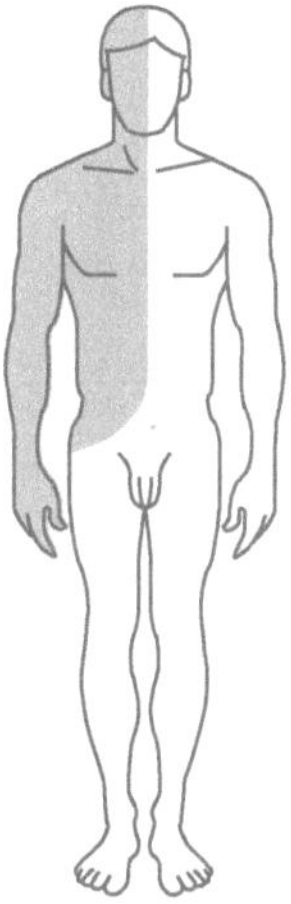

図1－7b　全身のリンパの流域（分布）

四肢（上肢・下肢）のリンパ管の基本的な走行については、須網博夫博士（米国テキサス大、形成外科学・リンパ学）の解剖体を用いた詳細な観察によれば、上肢では４系統、下肢では３系統のリンパ路があるとされています。

リンパ管は魚類から誕生した

リンパ管は、すべての動物に備わっているわけではありません。生物の進化の過程を追ってみると、たとえばエビやカニなどの無脊椎動物・甲殻類、昆虫、軟体動物などでは、血液が細胞・組織に直接流れて栄養を運びます。つまり、これらの動物の循環系では、動脈から流れ出た血液は直接、組織間隙を経由し、静脈へ戻るいわゆる「開放血管系」であり（毛細血管網が存在しない）、リンパ管もありません。

リンパ管系の起源は、脊椎動物の誕生の過程（系統発生）で、毛細血管網で物質交換を行う閉鎖血管系が確立された時点にあり、魚類で初めてリンパ管系が血管系から独立したものとして認められます。血液が直接、組織に流れていた開放循環に比べ、閉鎖循環では組織への水分や物質の供給効率が悪いために血管から「漏れ」が生じます。その「漏れ」がやがてリンパとなり、効率よく回収するシステムとしてリンパ管系が発達したと考えられます。

ただし、進化の過程で、魚類より早い円口類（ヤツメウナギなど）では、後方の腹壁のちょうど胸管のある位置に大きな腔があり、これを「リンパ腔」とよぶ報告もあります。しかし、位置的には哺乳類の栄養を吸収する中心乳び管に相当することから、乳び管を兼ねた〝血乳び管〟ともいえるものであり、静脈からリンパ管への分化の途上にあるものと考えられます。独立したリンパ管系が認められるのは、硬骨魚類からとされています。

「リンパ心臓」とは何か？

昆虫などの節足動物のように、体の各部分（節）が分かれている各単位を「体節」といいますが、有尾両生類のサンショウウオでは各体節ごとに左右1対、全体として十数対の「リンパ心

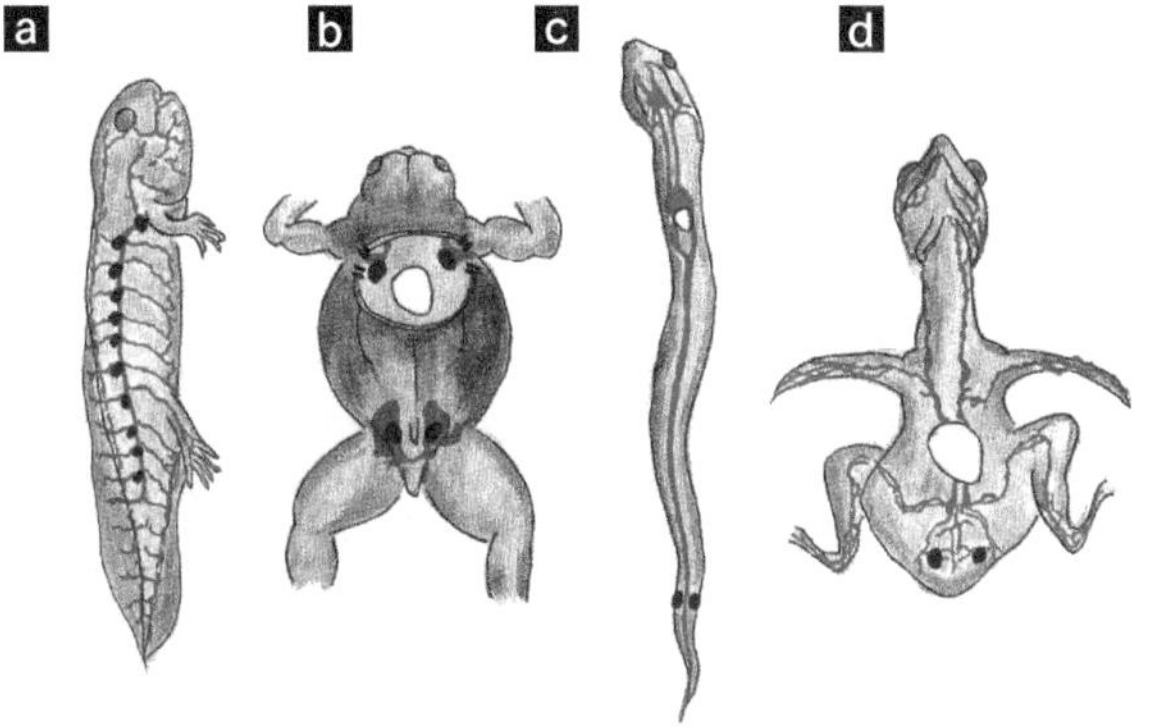

図1−8　リンパ心臓の模式図　a：サンショウウオ、b：カエル、c：ヘビ、d：ニワトリ（『リンパ研究の道程』小谷正彦 、ミクロスコピア6巻１号、1989より引用）

臓」があります（図1−8）。リンパ心臓とは、哺乳類以外の動物における特異なリンパ管構造として、古くから知られているものです。

血管系でもないのに心臓とは奇妙な名前ですが、心臓のポンプ機能のように自律的な収縮を繰り返して拍動することから「リンパ心臓」とよばれています。無尾両生類のカエルになると、リンパ心臓は減少して前後各1対になっています。つまり、リンパ管は有尾類より無尾類のほうがよく発達しているのです。

これらの動物では、皮膚の下はすべて広い「リンパ洞」あるいは「リンパ嚢」になっており、皮膚がすぐ下の筋肉に直接密着していないので、皮膚を大きくつまみ上げることができます。また、脊柱の下には、哺乳類の胸管に相当する大きな「脊柱下リンパ洞」があります。

爬虫類のヘビやトカゲでは、リンパ心臓はさらに減少して後リンパ心臓1対だけになります。トカゲの後脚の付け根の皮膚を注意深くはがすと、透明な米粒状のリンパ心臓が拍動しているようすが観察できます。両生類や爬虫類のリンパ心臓は哺乳類の心筋と同様に横紋が見られ、自律性を有しています。

哺乳動物に近づくほどリンパ管系と血管系の吻合（連絡）は減少し、ヒトを含めた哺乳類には真の「リンパ心臓」は存在しません。集合リンパ管の走行で、リンパの輸送の機能単位とみなされるいわゆるリンパ管分節（リンファンギオン）が、リンパ心臓に相当するものとされます。

初めての管状リンパ管

鳥類では、いわゆる「リンパ心臓」は後リンパ心臓が一時的に発生しますが、孵化後は消失し、骨盤域に1対の痕跡が残る程度で、腎静脈へのリンパの流れを保持しています（図1－8d）。初めて管状のリンパ管が見られるようになるのは鳥類で、管壁には哺乳類に類似して発達した平滑筋があり、収縮ポンプの働きをしていることがわかります。

鳥類においてリンパ内圧が高いのは、一定のリンパ管弁と高血圧動脈系によるもので、飛翔との関係が推測されています。ただし、ダチョウやエミューのような走る大型鳥類では、哺乳類に見られるような平滑筋の発達した同類の顕著な筋ポンプが発達しています。

多くの鳥類は哺乳類の陰茎に相当する器官（ファルス）をもっており、交尾の際に勃起させます。これらの鳥類は、空中あるいは水中で勃起した器官を、排泄物（糞や尿）も同じ穴から体外に排出される総排泄腔に押し合うようにします。面白いことに、この器官は血管系よりリンパ系（リンパ組織と排出リンパ管）の特徴を有するといわれています。

雄ガモの観察では、多量のリンパを生産してファルスを勃起させ、最終的にはリンパと連動して精液が総排泄腔に放出されるといいます。哺乳類とは異なり、副生殖腺（付属生殖腺）をもたない鳥類では、精子の保存・活動の組織環境としてリンパの機能が必要となることは興味深い事実です。

リンパ管系は、リンパ管を経由して吸収した組織液をリンパとして、代謝産物である老廃物とともに排出する経路をいい、リンパを排出し、同時に含まれる物質を血管系に送るという意味で、「リンパ排出系」ともよばれています。リンパ排出系は、両生類や爬虫類では壁に平滑筋がないため、皮下の組織液の貯留嚢、つまり組織液クッション（リンパ嚢・洞）として存在するわけです。

鳥類や哺乳類になると、平滑筋が出現して管状のリンパ管のネットワーク（リンパ管網）として観察されます。つまり、進化の過程で毛細リンパ管の構造や分布、さらにはリンパ液産生のしくみはあまり変わらず、重要な変化は毛細リンパ管が集まる集合リンパ管や静脈に注ぐ前のリンパ本幹で起こっています。

魚類、両生類、爬虫類からヒトを含めた哺乳類までの動物種におけるリンパ管の進化の過程を見ると、水中生活から陸上生活への環境変化により、水分保持の重要性が高まって、いわゆる「リンパ心臓」が減少してリンパ管と組織としてのリンパ系が発達します。つまり、進化の過程で高等になるほど、リンパ管系が発達して血管系から独立する方向へ分化したことがわかります。リンパ管系の発達が起こってきて、むくみ（リンパ浮腫）の増加を来《きた》すことになったのは、「リンパ系の進化」を考えるうえで興味深いものです。

下等動物から高等動物（哺乳類）までの種々の動物の臓器の発生段階を系統的に観察・比較する系統発生学的な観点から、リンパ系の発生を考察するとたいへん興味深いものがあります。リンパ系の個体発生もドイツの生物学者・比較解剖学者であるエルンスト・ヘッケル（１８３４〜１９１９）によって提唱されたもので、彼の「個体発生は系統発生を繰り返す」ということばはあまりにも有名です。

系統発生学的には、リンパ系の発生は血管系と同様、発生の初期段階では「リンパ系の系統進化」の初期の状態を繰り返していることになります。したがって、リンパ系の系統発生学的研究や比較解剖学的解析は、ヒトのリンパ系の疾患の発症・病因を推測するのにきわめて重要です。

1-3 組織液はどう吸収されるのか

毛細リンパ管のポンプ作用

前述のように、からだの臓器の組織間隙には毛細血管から漏れた血液中の水分や電解質、小量のタンパク質などが組織液（間質液）として存在し、組織を潤しています。それら組織液は、どのようにして毛細リンパ管に吸収されるのでしょうか？　そのメカニズムは、各組織・器官の恒常性維持のための生理的機能を理解するうえで、たいへん興味深く、かつ重要です。

従来、毛細リンパ管による組織液の吸収は、間質液を入れる組織間隙である間質腔内と毛細リンパ管内とにおける浸透圧の差によって調節されており、毛細リンパ管内に運ばれた組織液が、いわゆるリンパになると考えられていました。ところが、20世紀後半になって、毛細リンパ管の形態と機能に関する研究が活発に行われ、「毛細リンパ管にも能動的なポンプ作用がある」という考え方が登場しました。

毛細リンパ管の内皮細胞の周囲（外表面）には多数の細線維（係留フィラメントといいます）があり、内皮細胞を固定しています。間質内に液体が溜まると、組織間隙の圧が上昇し、細線維

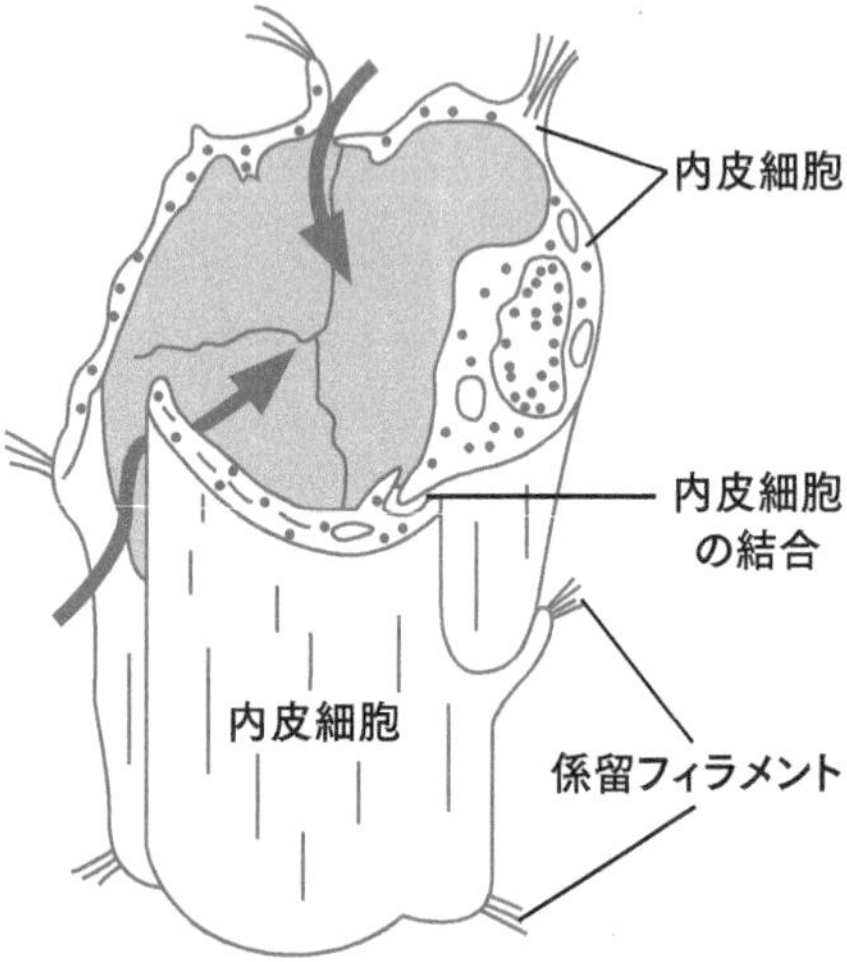

図1－9　毛細リンパ管の立体模式図　管を構成する内皮細胞どうしの結合とそれを支える係留フィラメント。矢印は組織液の流入を示す

によって内皮細胞が外側に引っぱられるため、毛細リンパ管壁の内皮細胞の間隙が広がり、周囲から間質液が流れ込みます（図1－9）。このような内皮細胞間隙の拡大は、リンパ管による組織液の吸収や、リンパの輸送を理解するうえでのキーポイントとなります。

　毛細リンパ管内にリンパが満たされると、後述するように呼吸運動、動脈の拍動、筋ポンプなどの外力によって毛細リンパ管の内圧が上昇します。さらに、毛細リンパ管が集合して少し太い集合リンパ管になると、管壁に平滑筋が現れます（図1－10）。この平滑筋の自発的な収縮が、上述の運動によって強まる結果、ポンプ作用によって起始部の毛細リンパ管における組織液の管腔内への間欠的な吸引作用やリンパの押し流しが促進されると考えられます。

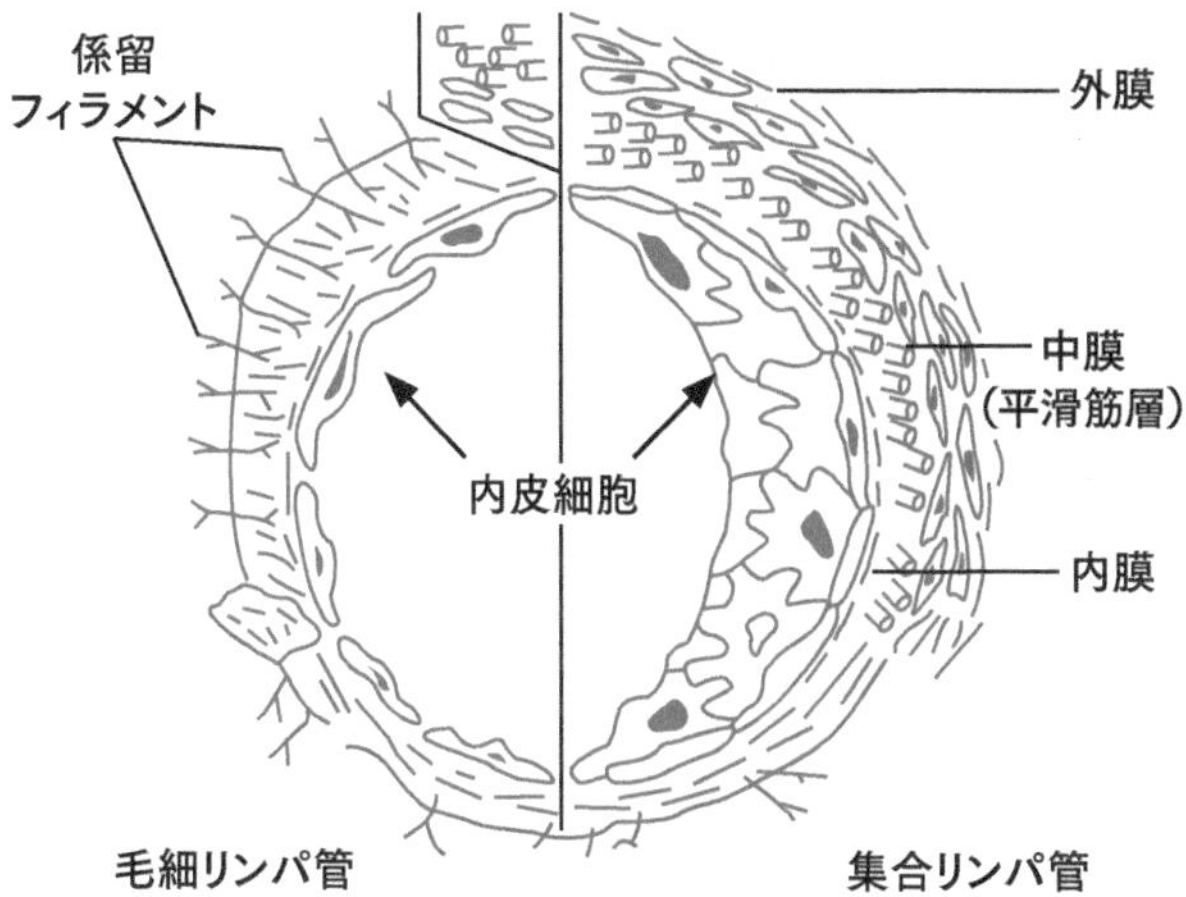

図1－10　2つのリンパ管壁の断面の模式図

脳の中にはリンパ管はない

脳や脊髄で構成される中枢神経系には、細胞外液として第三の体液ともよばれる脳脊髄液（髄液）が存在します。脳や脊髄は、主に線維からなる結合組織性の被膜（髄膜）によって包まれており、髄膜は硬膜・クモ膜・軟膜の3層から成っています。最外層の硬膜は、骨の表面を覆う骨膜と同じく血管をもち、下層のクモ膜の下（クモ膜下腔）には脳脊髄液が満たされています。その内層には直接、脳実質を覆う薄い軟膜がありますが、クモ膜と軟膜にはリンパ管はありません。

一方、頭蓋骨を包む頭皮と下顎骨を含む顔の部分にはリンパ管があります。しかし、脳や脊髄の中（実質）にはリンパ管はなく、脳血管から漏出した組織液は髄液として上述のクモ膜下腔や脳室に溜まるので、髄液は脳内での炎症や出血など、脳の置かれた環境をよく反映しているといえるでしょう。

髄液は、脳室を裏打ちする「上衣《じょうい》」という特殊化した細胞と毛細血管網からなる脈絡叢から分泌・産生されます。その吸収路を知るため、クモ膜下腔に墨汁などの標識物質（トレーサー）を注入すると、30分もすれば頸部にあるリンパ節が墨で真っ黒に染まります。解剖してその経路を詳しく調べると、注入物質は鼻粘膜の嗅神経鞘（結合組織）を経由して脳からリンパ管へ出て行ったことがわかり、脳脊髄液のリンパ路の一つと考えられています。

日本では、むちうち症やスポーツ障害で生じる慢性的な頭痛やめまい、倦怠感、さらには集中力や記憶力の低下など、さまざまな自覚症状を起こす病態に対して「脳脊髄液減少症」という病名が一般に用いられています。最近の画像診断によると、この病気の発症原因として、脊髄領域での髄液漏出説が広く支持されているようです。

脳室やクモ膜下腔に注入した墨の流れからも推察されるように、髄液は頭蓋を出てリンパ管を経由し、主に頸部リンパ節に入ります。このことは、頸部のリンパ節が脳周囲の流域に属して免疫反応を起こす、いわゆる所属リンパ節としても働くことを示唆しています。つまり、髄液の状況は細菌感染や異物の侵入に対して、つねに免疫系（リンパ節）によって監視されているわけです。

近年の電子顕微鏡による観察によれば、脳や脊髄に血液を供給する血管は脳組織と隔てられ、血液と脳脊髄液とのあいだの物質交換を制限するような特別な構造――いわゆる「血液脳関門」（コラム参照）――をしていることが明らかにされています。脳組織は、血管を経由して侵入する有害物質から守られているのです。

コラム　脳内の関所――「血液脳関門」

19世紀の後半、ドイツの細菌学者エールリッヒは、血管に入れたある色素がほとんどの組織を染めるのに、脳が染まらないことを最初に観察しました。後年、この現象に脳の血管が関係していることがわかり、脳にはリンパ管はないけれども、血液と脳脊髄液とのあいだの物質交換を制限する機構が存在することが推測されました。

20世紀の半ば過ぎに、電子顕微鏡による観察で両者の関所となる「血液脳関門」が形態的に明らかにされました。血液脳関門は、正常な状態では多くの物質（ある種の薬物や毒物、代謝産物）を通過させず、血液を経由して運ばれる有害な物質から脳を保護しています。しかし、アルコールやカフェイン、ニコチン、抗うつ薬などはこの関門を通過します。脳炎や髄膜炎、脳腫瘍などでは血液脳関門は破壊され、物質の通過・侵入によって障害が生じます。

1-4 リンパはどう流れるのか

収縮する最小単位

リンパ管にはリンパの流れの逆流を防ぐために弁があり、リンパは、弁と弁のあいだのリンパ管分節の収縮や蠕動運動によって、つねに一方向に輸送されます（図1-11）。リンパ管の弁を初めて記載したのは、デンマークの著名な解剖学者トーマス・バルトリン（1616〜80）です。彼の発見はその後、長いあいだ忘れ去られていましたが、新たに綿密な研究がなされ、胸管の開口部にある弁が報告されました。

リンパ管の弁は、基本的には静脈と同様、薄い膠原線維網の膜と、それを覆う内皮細胞から成っており、内膜が管腔に突き出した構造をしています（図1-12）。

弁の周囲には、平滑筋が密にラセン状、もしくはリンパ管の長軸方向に走っています。20世紀初めのころの、ヒトの成人の下肢リンパ管を開いて弁の形態と数を調べた報告では、弁と弁の間

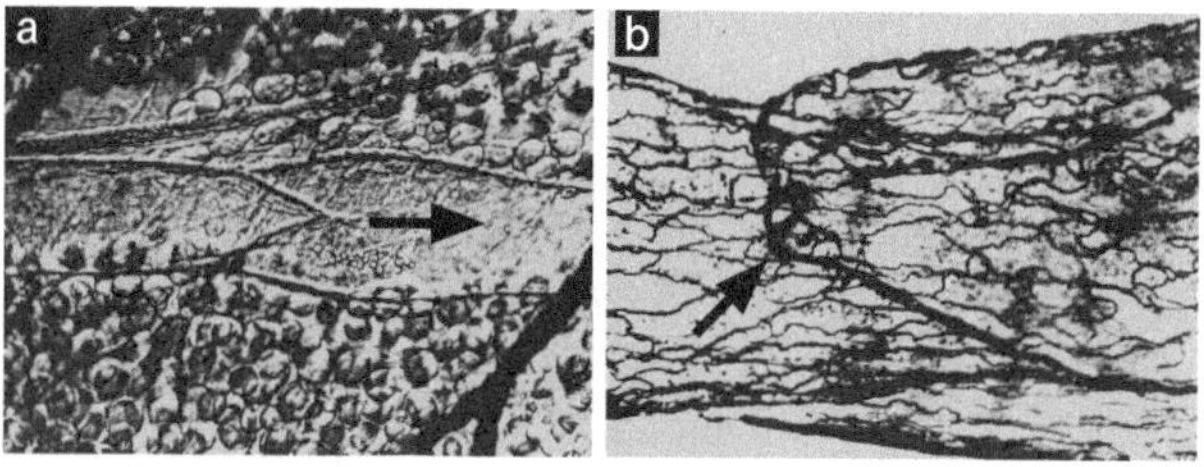

図1－11　リンパ管の弁　a：矢印はリンパ流の方向を示す。b：硝酸銀溶液に浸けると、弁（矢印）と内皮細胞の境界がよく観察できる（いずれも豪州キャンベラのジョン・カーチン医学研究所のショッフェル博士、モーリス教授らの厚意による）

隔は２～８㎜とされています。昔の研究者の綿密で根気を要する仕事にただ敬服するばかりです。

１９６２年、ミスリンとラセノウらは、弁と弁のあいだの区域、つまり隣り合う二つの弁とそのあいだの部分（図１－13）を「リンファンギオン」（リンパ管分節）と名づけ、リンパ管の最小の運動機能単位として記載しました。リンパ流量の増加やリンパ管内圧の上昇によって、リンパ管の自発性収縮は、リンパ管分節を単位として分節的に中枢に伝わると考えられています。弁と弁の中間部（分節の中間）では、筋線維がよく発達しており、壁が厚くなっています。

リンパ管分節の長さは、集合リンパ管の直径（１００～６００μm）の３～10倍で、分節ごとに繰り返し収縮する状況から、小さなリンパ心臓ともよばれています。ヒトのリンパ管の自発性収縮の観察では、下肢のリンパ管で１分間に４～５回、胸管で１～４回とされています。

リンパ管分節にまたがるように、その管壁に平滑筋が分布

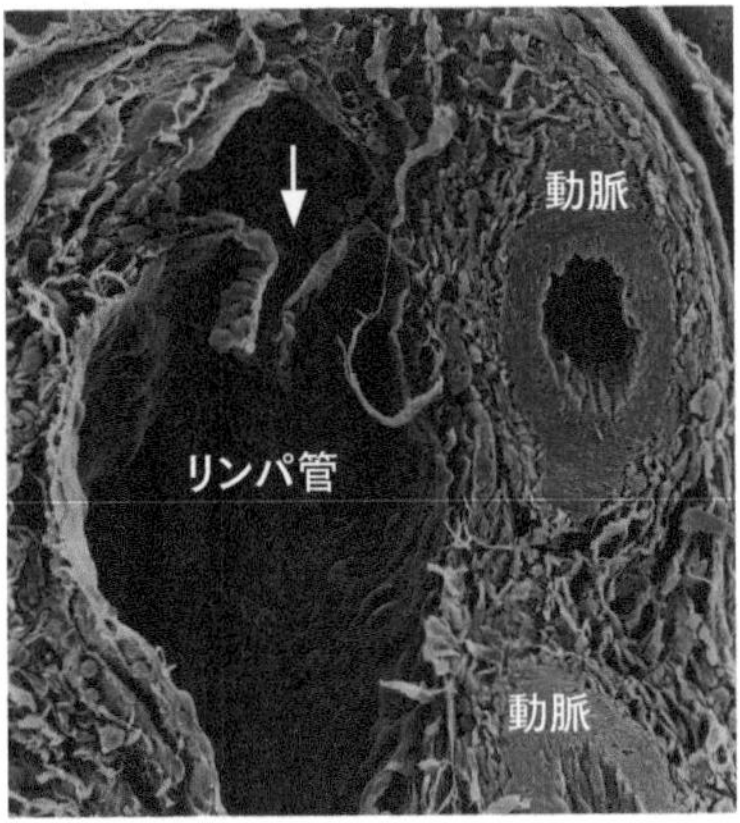

図1－12　弁（矢印）をもつリンパ管と動脈のSEM像

しているので、分節の収縮が同調し、連鎖することによって筋ポンプとして働き、リンパが下流へと流れます。このリンパ管分節の収縮は、リンパ管壁にある平滑筋の自律神経によってコントロールされています。四肢にある集合リンパ管のリンパは、その管壁にある平滑筋細胞の収縮による自律的なポンプ機能によってリンパを体幹へ運搬しているのです。

体温上昇でむくみがとれるのはなぜ？

血管系では、心臓から動脈を通して押し出された動脈血はどんどんからだのすみずみまで送られて毛細血管網を流れ、静脈血として静脈を経由してふたたび心臓に戻ってきます。心臓を出た血液が全身をめぐって戻ってくるまで、約40秒程度といわれています。

一方、リンパ管系には、血管系のように心臓という強力なポンプは存在しません。生体におけるリンパは、どのようにして流れているのでしょうか？

前項で紹介したように、リンパ管分節をまたいで、その管壁にある平滑筋の律動的な収縮によって起こる自発的な運動によって、リンパはリンパ管分節内を行ったり来たりする「振り子運動」をして運ばれます。リンパは、管壁の平滑筋の収縮によるリンパ管分節自体の収縮、いわゆる筋ポンプによって生じる圧勾配と弁によって、「振り子運動」をしながら、順序よく末梢から心臓の方向へと（静脈に流入して）流れるのです。

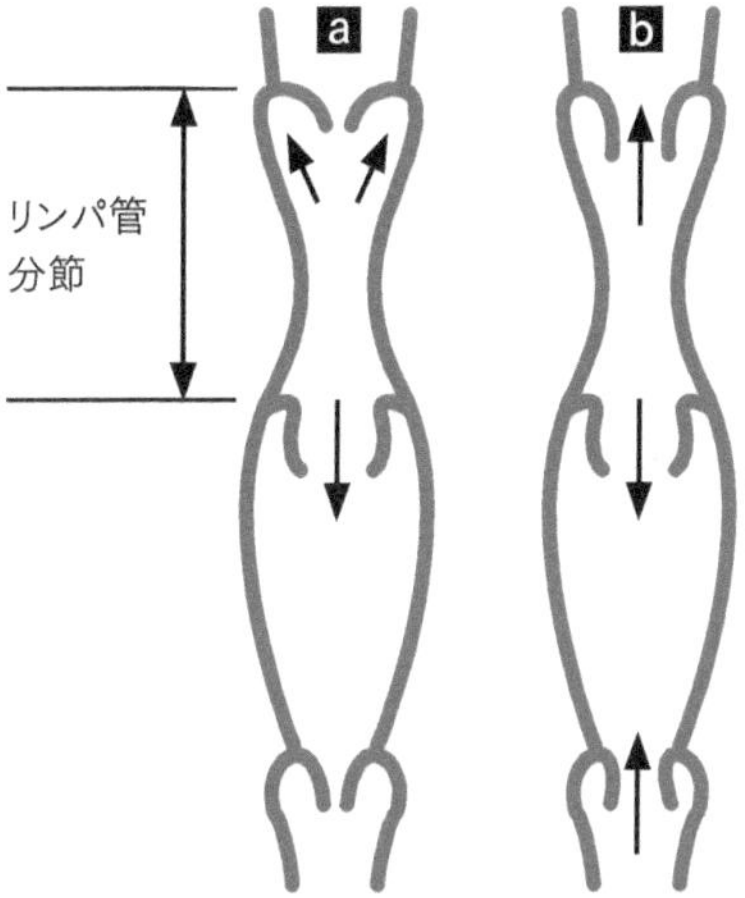

図1−13　リンパ管分節（Lymphangion）の模式図（矢印はリンパ流の方向を示す）
a：正常なリンパの流れ、b：弁の開閉不全によるリンパの逆流（リンパ管拡張）

実際のリンパの流れは、体表の皮膚や筋など、外部からの刺激（マッサージや筋肉運動）、横隔膜による呼吸運動や小腸の蠕動運動など周囲の組織からの受動的な運動によって多く流されます。したがって、生体の効果的なリンパの流れを考えるとき、体表のマッサージや部位による筋肉運動は流れの促進に効果的で重要と思われます。

また、筋ポンプによる運動は、体温の上昇による管壁平滑筋代謝の促進によって高まり、リンパ管の拡張もあいまってリンパの流れを活発にします。お風呂に入るとむくみが解消されるのは、体温の上昇によってリンパの流れがよくなったためです。リンパ浮腫の治療の際、リンパの流れをよくするために温熱療法が有効とされるのはこのためです。

リンパがからだ中を一周して元に戻るまでには、約12時間かかるといわれています。血液に比べ、リンパの流れはきわめてゆっくりであるため、流れが滞りやすいのです。たとえば、長時間座ったままで、何もしないでおくと、自ら流れる力が弱いリンパは、からだの下のほうへと溜まったりします。これが浮腫の原因です。

リンパの流れを手助けするために、足首をぐるぐる回したり、ふくらはぎを揉んだりするのが効果的です。つまり、リンパの流れを改善するために、マッサージによって手助けをしてやることが大切なのです（163ページ参照）。

一酸化窒素の役割

脈管（リンパ管・血管）の運動生理学では、脈管壁はつねに管内を流れる流体の物理的刺激（流れ刺激）を受けているとされています。近年、管壁の平滑筋を弛緩させ、血管拡張作用をもつ新しい情報伝達物質として注目されているものに一酸化窒素（ＮＯ）があります。血管内の血液の流れの刺激によって、ＮＯを産生する酵素タンパク（ｅｃＮＯＳ）の血管内皮細胞における発現が促進されることも知られてきました。

リンパ管でも同様に、リンパの流れ刺激↓リンパ管内皮細胞のｅｃＮＯＳの合成促進↓ＮＯ発現の亢進が起こると想定されています。最近の新しい研究では、リンパ管内皮細胞の培養系で、生体に近い流れ刺激による内皮細胞の特性変化の解析が進められています。研究途上ですが、毛細リンパ管内皮のｅｃＮＯＳで産生されたＮＯが集合リンパ管の平滑筋に働きかけて、リンパ管の拡張・収縮を調整しているものと推測されています。

ところで、胸管には下半身と左上半身のリンパが流れており（27ページ図1－7b参照）、頸部胸管にチューブを挿入（キャニュレーション、循環採集）すると、多量の胸管リンパが容易に採取され、その組成を明らかにすることができます（図1－14）。イヌを使ったエンドトキシン静注実験では、ショックによって文字通り溢《あふ》れ出るよう

動物種	体重(kg)	リンパ流量	
		mL/kg/時間	mL/日
ヒト	47	0.9	990
イヌ	13	2.6	806
ネコ	3	2.4	170
ウサギ	2.4	2.2	127
ラット	0.22	2.0	11
ヤギ	18	3.8	1640
ヒツジ	30	3.6	2616
ウシ	410	4.2	41100
ヒツジ(胎児)	3	4.2	300

図1－14　各種の動物における胸管リンパ流量の比較（『リンパ管――形態・機能・発生』より改変）

な胸管リンパが採取されます。

水分と体温の調節のために

両生類や爬虫類では、リンパ管系の発達と皮膚の水分吸収機能に深い関係があります。両生類のカエルの場合、変態前に水中生活を送る幼生オタマジャクシでは密なリンパ網が発達していますが、変態してカエルになり、陸上生活に移行すると、リンパ管は融合して皮下でリンパ嚢あるいは洞として広がります。両生類や爬虫類の成体では皮下に原始的なリンパ管が拡大してリンパ嚢（洞）となり、多量の組織液を入れて動静脈を取り囲んでいます。

砂漠や木の上で生活する動物は長期間、水なしで生き延びなければなりません。オーストラリアの砂漠では昼間の気温が40℃以上になり、夜には5℃以下に下がるなど気温の変化が激しいため、その温度差に耐えるために地下に穴を掘って住むある種の奇妙なカエルがいます（46ページのコラム参照）。

両生類や爬虫類がもつリンパ心臓は、じっとしていてもリンパが流れるような便利なしくみになっています。何ともすばらしいしくみを身につけた動物たちです。系統発生的に見た場合に、リンパ心臓の減少は組織液の流れ・排出を低下させ、リンパ浮腫の増加を来すことにつながったのは、32ページで述べたとおりです。

リンパ心臓のしくみを解明していくことによって、ヒトのリンパ浮腫の問題も解決の手がかりが得られるかもしれません。リンパ系の系統発生の基礎的研究は、臨床医学へのアプローチとしてきわめて重要なことと思われ、基礎リンパ学研究者の夢は膨らみます。

また、リンパ管の系統発生的観察から、小谷正彦氏（熊本大学名誉教授）は次のようなたいへん興味深い考えを記載しています。

「熱を自分で産生できない変温動物では、太陽熱で体温維持しているので、血管を取り巻くリンパ管（腔）のリンパ液により体温の調節をしている。波が打ち寄せる岩場にいるイグアナや河の岸辺にいるワニなど太陽の光を浴びて熱を得ている。ワニのリンパ管はやや細めですが、熱伝導度の低いリンパ液を入れたリンパ管が血管を包んで熱の放散を防ぎ、体温の維持に役立っている。また、鳥類では熱を産生できるので、リンパ管は細くなっている」（『ミクロスコピア』、考古堂書店、１９８９）

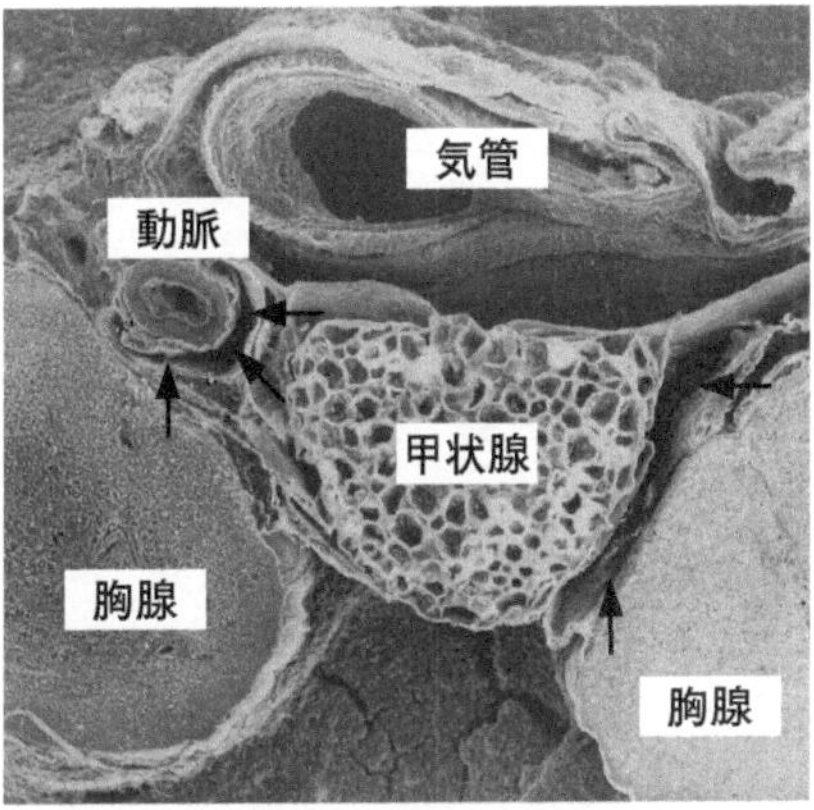

図1−15　ヘビの頸部の横断面のSEM像　動脈の周囲を洞のように広がったリンパ管（矢印）が取り巻く

ちなみに、爬虫類のヘビの頸部の組織切片標本を作製して、血管や周辺の臓器（胸腺・甲状腺）とリンパ管（洞）との関係を顕微鏡で観察してみると、図1－15のように、広いリンパ洞が取り囲んでいることがわかります。このような構造は、上述の変温動物におけるリンパ管系の体温調節機能を示唆しているものとして興味深いものです。

コラム　水持ちカエル

『黄色い鼠』（井上ひさし、文藝春秋）という傑作小説が1977年に出されています。1942年、第二次世界大戦下で豪州のバーメラ日本人収容所からの集団脱走兵が、オーストラリア大陸の砂漠に迷い込み、アボリジニーに助けられて生きていく物語で、当時の兵士の手記に基づいた作品です。

小説の舞台となったオーストラリアの砂漠で、古くからそこに住むアボリジニーという先住民族が、砂の中から腹に水が溜まった「黄色いカエル」を掘り出し、水を補給して生きるという話です。彼らは、このカエルを、「水持ちカエル」とか「水呑みカエル」と呼び、〝砂漠の水〟として生きるうえでとても大切にしてきました。このカエルは、暑い夏のあいだは小岩の陰の砂の下で〝夏眠〟した状態にあり、雨が降れば目一杯、体内に水を貯えて長い乾期に耐えるのです。

筆者は、この小説が出版されてしばらくして、首都キャンベラにあるオーストラリア国立大学ジョン・カーチン医学研究所(実験病理学研究室)で、胸腺の微小循環系の電子顕微鏡形態科学を学ぶ機会を得ました。この医学研究所は、ペニシリンの発見者として有名なフレミングとともに、医療への実用化でノーベル賞を受賞したハワード・フロリーでよく知られています。

当時、世界各国から、免疫血液学や分子生物学など最先端の研究に若い研究留学生たち(大学院生)が多く集まっていました。筆者は研究仲間からの情報で、幸運にも小説のプロローグに出てくる国立大学図書館の本棚でこの本を見つけました。小説の題名は、当時の捕虜収容所東棟の名「黄色い鼠」からつけられたものです。

リンパ管の神経支配

リンパ管の壁には、管壁を養う栄養血管と管の収縮・拡張運動に働く神経が、外膜側から内腔面の内皮直下の平滑筋層のあいだにまで進入しています。この神経は、周囲から絶縁する役目をもつ髄鞘という囲いをもたないため、「無髄神経」とよばれる裸の神経線維です。

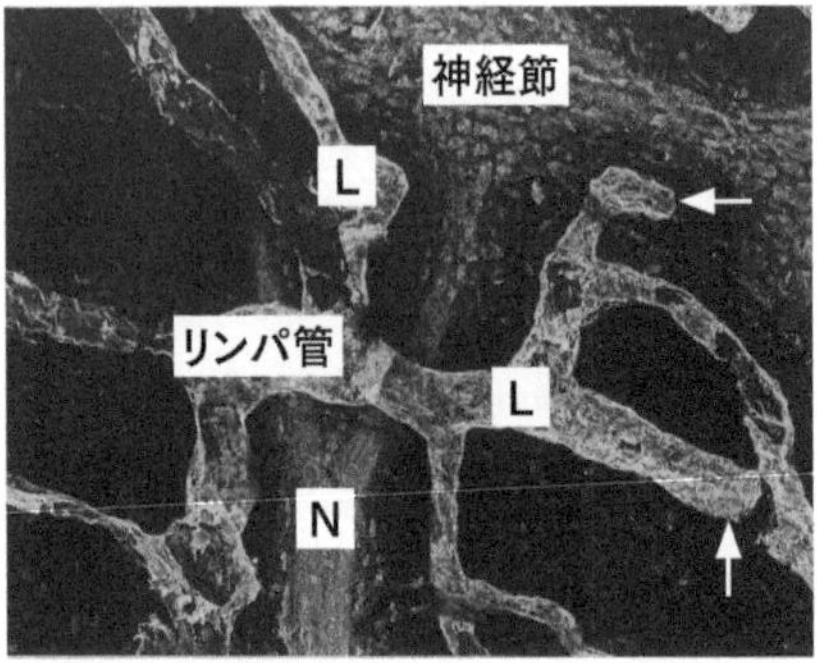

図1－16　腸管筋層を錯綜するリンパ管（L）と神経節（N）の組織化学SEM像　矢印：5'-Nase陽性リンパ管の盲端部

神経による管壁の平滑筋の収縮運動で、管のポンプ作用としての能動的リンパ輸送を起こし、リンパの流れを調節していると考えられています。なお、筋層におけるリンパ管は胃壁と同様、筋線維束の走行に沿って分布しています。また、腸管壁では筋層を走るリンパ管は平滑筋の収縮に働く神経線維（神経叢）と互いに交叉して分布しています（図1－16）。

リンパ管壁の平滑筋について調べた最近の報告によれば、自発性収縮は、まず平滑筋細胞にあるアデノシン三リン酸（ATP）の活性化が起こり、平滑筋細胞膜の膜電位が変化することによってカルシウムイオン（Ca^{2+}）チャネルの透過性が高まった結果、現れるものと推測されています。しかし、これまでリンパ管周囲の神経分布についての組織学的研究はあまりなされていません。小腸絨毛や腸間膜のリンパ管に関しての若干の組織学的観察は行われていますが、実質臓器に関しては、わずかに肝臓や膵臓についてのみです。

以前は、平滑筋をもたない毛細リンパ管には神経は分布しないと考えられていました。しかし、近年の電子顕微鏡による観察では、内皮細胞の結合部や核の基底側に近接して、裸の無髄神経が存在することが明らかになり、リンパ管内皮細胞と神経伝達物質（ペプチド）を含む神経との密接な関係を示唆する興味ある報告がなされています。これらの神経は、その表面にある受容体によって毛細リンパ管内腔のリンパや細胞間質の組織液の性状を感知し、リンパ管壁の透過性の調節に関与しているものと思われます。

神経周膜と鍼灸

一般に、神経線維は、その数本が神経膜（神経周膜）によって束ねられて神経束となり、その神経束の数束がさらに二次的に神経膜（神経上膜）によって太い神経束を形成しています。脳内に注入した墨が神経束の神経周膜とその外側の神経上膜へと漏れ出て、周囲にあるリンパ管に観察されることを紹介しました（36ページ参照）。

これらの実験・観察の結果は、クモ膜下腔や脳室にある脳脊髄液（髄液）は脳・脊髄内に留まらずに循環して外に出ること、そしてその経路が神経周膜に分布するリンパ管であることを示しています。つまり、髄液排出の経路に関する新しい考え方として、神経周膜の髄液と周辺のリンパとのあいだの交流と、それに対して神経系が関与している可能性が推測されるわけです。

そこで、ここでは東洋医学で古くから行われてきている「鍼灸《しんきゅう》」の臨床において、たいへん興味深い「経絡《けいらく》」「経穴」（中国では「腧穴《ゆけつ》」、いわゆるツボ）との関連性について説明しましょう。

東洋医学においては、全身（左右）に「気」「血」「津液」の補充や代謝のために網の目のように張りめぐらされた14の「経絡」があるとされています。経絡は、からだ全体を循環する12の「正経」に、「督脈《とくみゃく》」と「任脈《にんみゃく》」を合わせたものです。実際の治療では、これら経絡の上に存在する「経穴」（ツボ）が使われます。

「穴」といっても、もちろん実際に皮膚に穴があいているわけではなく、目には見えない「気」が出入りしている場所があるというのです。つまり、「経絡」は「気」や「血」の通り道であり、ツボはその道の上にある駅のようなものと考えられています。

「気」や「血」の流れが滞ったときに、経絡上のツボにトラブルが現れ、「臓腑」（52ページのコラム参照）の不調が反映されることも多いとされます。簡単にいえば、ツボを刺激することで気や血の流れを調節し、臓腑の働きを整えることができるというわけです。ツボの刺激によって自律神経や感覚神経が刺激され、同時にリンパの流れがよくなり、その結果として、すべての臓器に対してよい影響を及ぼしているという考えです。からだの硬いところにはツボはなく、そこはまたリンパの流れも少ないので、両者のあいだには何らかの関係があることが推察されます。

現在の中国医学では、鍼灸の臨床からは、経絡の存在は疑うべからざるものとされています。経絡は気血循環の通路であり、全身にあまねく分布していて、内には臓腑に属し、外には四肢関節と連絡し、身体各部をつないで人体を完全に有機的に組織し、全身の機能系統を調節するものと考えられています。しかし、医学的研究によっては、ほとんど解明されていないのが実状です。

「刺激による反応」という生理機能を解明するためには、まず「刺激の受容器は何か？」から明らかにしなければなりません。ここでいう受容器とは、皮膚の感覚神経の末梢端部です。

皮膚は、温かさ／冷たさといった温度や振動、痛みを感じます。また、その感覚には、単なる接触や圧迫に対する粗い触覚から、対象物が何であるかまで識別できる鋭敏な触覚まで存在します。ツボを刺激する方法としては、鍼や灸のほかに、指圧やマッサージ、電気刺激（温熱・振動）、レーザー照射などがあります。

それでは、ツボとはいったいどんなものなのでしょうか？　形態科学の立場から「機能するところに形態あり」とするなら、ここはまさに解剖学の出番です。そこで、ツボがあるとされる箇所に対する組織学的検索が行われました。

ツボがあるという皮膚の限られた部分に、神経や血管、リンパ管など、特別な組織構造があるかどうかが調べられたのです。ツボとよばれる部分には、その周辺の組織と比べて神経線維や血管、リンパ管の数が多い傾向にあるようですが、特殊で明確な構造物は観察されておらず、生理的に電気抵抗が弱まる部位や自律神経などとの関係は明らかではありません。

鍼灸では、経路に沿った経穴、いわゆるツボに各種の鍼《はり》を基本的に皮膚に垂直に刺し、その際の患者の「ピリッときた」とか「気持ちがいい」といった、さまざまな反応を注意深く聞きながら深さを探ります。鍼は、局部の前後左右から立体的に数本刺入します。刺した鍼をそのまま一定時間放置したり、わずかに指で軽く叩いたり、振動させたりします。灸の場合は、経穴に艾《もぐさ》を置いて火をつけるなどします。

このような刺激によって、最初に述べたような体液（髄液・リンパ）の交流による神経系への効果が生じるのでしょう。鍼灸の効果について、近年「〝経絡〟は神経周膜内の脳脊髄液系である」というたいへん興味深い新しい考え方が報告されています。東洋医学と西洋医学の接点として、ツボとリンパの関係は今後、非常に面白い課題であり、研究の進展が期待されます。

コラム　漢方医の解屍——山脇東洋『蔵志』

古代中国では儒教や道教の考えから、仏と化した屍体を切り刻むことは許されませんでした。東洋医学では、〝人体解剖〟という実践は存在せず、気や陰陽・五行といった観念的医療が主体でした。ただし、「人体解剖学」がまったくなかったかといえばそうではなく、西洋の人体解剖（14世紀）より古く（10〜12世紀）、鍼灸書に『正人臓之図』や『賊人解屍図』として残っています。

伝統的中国医学では、「気」の学説を支えるいわゆる「五臓六腑」の考えが中心でしたが、日本における漢方医の中心的人物であった山脇東洋（1705〜62）は初めて屍体を解剖し、1759年、解屍観臓の集大成として『蔵志』2巻を出しています。その七裏と八表に「九蔵」（肺・心・肝・胃・脾・大腸・小腸・腎・膀胱）とあります。

寒い冬に「熱い燗酒が五臓六腑にしみわたる！」などと表現することばがあるように、からだの中の内臓全体を言い表す「五臓六腑」の臓とは、肝・心・脾・肺・腎の実質臓器を、腑とは胆・小腸・胃・大腸・膀胱・三焦《さんしょう》の中空（管腔）臓器を示しています。

このうち三焦は、「五臓六腑」説の中心を成すもので、体内における「気」の通路であり、「気」がこの通路を経て五臓にいたって蓄えられ、生命活動を導くとされています。三焦はあくまで仮想の管腔臓器であり、現在の解剖学上では存在しませんが、さしずめ縦隔、胸腔、腹腔から成る空間をいうのでしょう。山脇東洋は、「気」が人間の生命活動の源泉ではないと明言し、この三焦なる管腔臓器を否定しました。

なお、山脇東洋から遅れること15年、『解体新書』を訳出した杉田玄白は、有名な『蘭学事始』（1815）の前に出した『形影夜話』（1810）の中で、東洋の『蔵志』に強烈な印象を受けたことを記しています。同時に誤謬（ミス）にも気づき、そのことが玄白をして『ターヘル・アナトミア』（『解体新書』の原書）の翻訳へと駆り立てたのでしょう。

第2章

リンパと初対面した先駆者たち

2-1 見えざる〝管〟を求めて

〝白い血〟の謎

心臓というポンプによって力強く血液を送る赤い血管と比べ、白くて不規則な分布と走行をもつリンパ管は、目立たない存在でした。リンパ管の〝発見〟は、紀元前5世紀の聖医ヒポクラテスによる〝白い血〟ということばから始まるとされています。紀元前4世紀には、アリストテレスによって無色の液体を入れた管、つまり血管と神経の中間の索状物（fibre）として記載されています。

しかし、彼らは本当にリンパ管を見たのでしょうか？

ある文献には、「バルトリンが〝ines〟というギリシャ語を〝fibre〟と訳した言葉の意味は不確かであり、アリストテレスはたぶんリンパ管を見ていないであろう」という記載があります。

紀元前3世紀になると、アレキサンドリアの医師ヘロフィロス（紀元前334〜前280）とエラシストラトス（紀元前310〜前250）が、生きた動物の解剖や人体の観察によって乳び管らしきものを記載しています。さらに、1世紀になってマリヌスは、腸から発したいわゆる乳

前5～前4世紀	最初の記述“白い血”の腺	ヒポクラテス
前4世紀	無色の液体を入れた血管と、 血管と神経の中間の索状物	アリストテレス
前4～前3世紀	乳び管の記載 アレキサンドリアにおける観察	ヘロフィロス エラシストラトス
1世紀	腸間膜リンパ節	マリヌス
2世紀	乳び管の確認、機能は不明	ガレノス
3～15世紀	リンパ管研究の空白時代	
16世紀	最初の解剖図譜 （ただし、リンパ管の記載なし）	ヴェサリウス
	最初の胸管・乳び槽の記載（ウマ）	エウスタキオ
17世紀	乳び管再発見（イヌ）	アセリ
	乳び管発見・記述（ヒト）	ヴェスリンギウス
	胸管発見、乳び管への連絡、 乳びの輸送（ヒト）	ペクエ
	動脈・静脈・リンパ管と神経	ジョリッフィ
	解剖のデモンストレーション	ルードベック
	胸管・リンパ管の記載	バルトリン
	リンパ管の弁の詳細な記載	ルイシュ
	リンパ管の吸収機能	ギルソン
	リンパ管解剖、注入実験	ヌック
18世紀	リンパ管の吸収をまとめた本の刊行 リンパ管解剖アトラス刊行	クリックシャンク マスカーニ
19世紀	リンパ管解剖をまとめた本の刊行	シャピー

図２－１　リンパ管の発見の歴史

び管と思われるものが腸間膜リンパ節に入ることを報告しています。

この〝見えにくい管〟をいちばん最初に見つけたのは誰なのでしょうか？ 紀元前からの観察の経緯を図2－1に簡単にまとめました。3～15世紀にかけては、1000年以上の長きにわたって宗教的な理由から解剖が禁止され、リンパ管研究の空白の時代がありました。

「近代解剖学の父」である前出のアンドレアス・ヴェサリウスでさえ、リンパ管のことは記載していません。ようやく16世紀になって、1564年にイタリアの解剖学者で中耳の耳管の発見で有名なバルトロメオ・エウスタキオ（1524～74）が、初めてウマの胸部のリンパ管（胸管）を発見し、これを静脈と考えて、〝胸部の白い静脈〟とよんでいます。ここでもやはり「白」(alba) ということばが用いられています。

ちょうど中世ヨーロッパのルネッサンスの息吹と呼応する時代であり、リンパ学が科学の一分野に回帰した瞬間でもありました。しかし、エウスタキオの業績は注目されることなく忘れ去られ、リンパ管の発見として一般に認知されるのは1世紀を経た17世紀のことです。

乳白色の乳び管

代表的なリンパ管である「乳び管」を再発見したのは、北イタリア・パヴィア大学解剖学・外科学教授であったガスパロ・アセリ（1581～1625）で、亡くなる3年前の1622年のことでした。アセリは、第10脳神経である迷走神経が胸部で分枝して喉頭に分布する反回神経の走行や、胸腔と腹腔を仕切る筋性の横隔膜の運動をみるため、イヌを開腹して腸と胃を引き出した際に、腸間膜に分岐する多数の白いスジ状の乳び管を発見したといわれています（図２－２）。

その発見の経過と驚きのようすは、『リンパ管――形態・機能・発生』（西村書店、１９９７）の付録「リンパ管研究の歴史」（小谷正彦、３１８ページ）で、以下のように述べられています。

「アセリは北イタリア・パヴィア大学の解剖学・外科学の教授である。１６２２年７月23日、友人に反回神経と横隔膜の運動を見せるために、１匹のイヌを開腹した。腸を胃とともに引き出したとき、腸間膜に分岐する多数の白い筋《すじ》を見てびっくりした。初め神経かと思った。鋭いメスを握り、その１本を切断すると、その途端ミルクあるいはクリーム状の液がドッと流れ出た。ところが、翌日開腹したイヌには白い管は全然みられなかった。これは餌を摂っていないからだと直感し、７月26日十分に餌を与えたイヌを開腹し、腸間膜に多数の白い管が存在することを確認

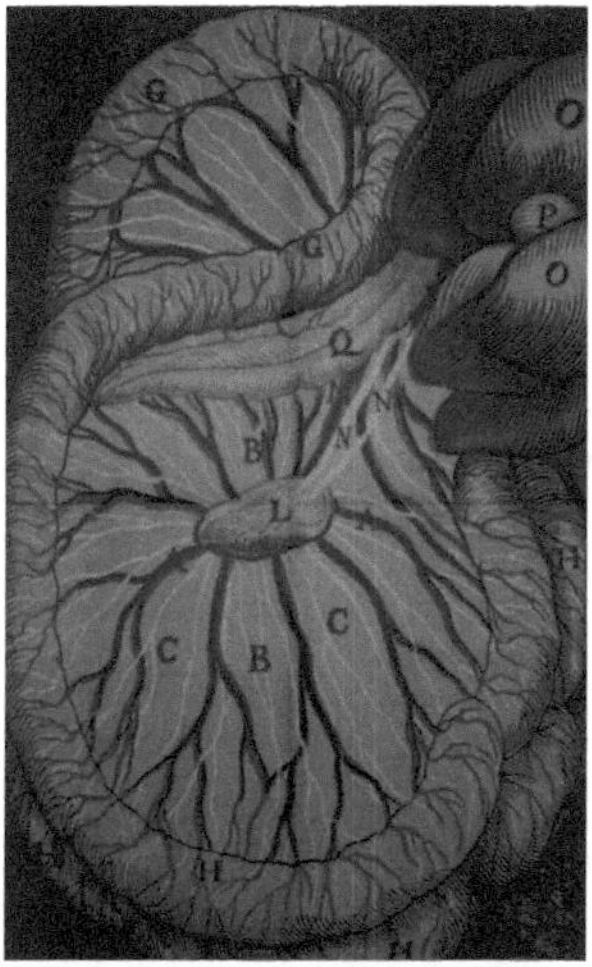

図２－２　ガスパロ・アセリの乳び管解剖図（著書 1627）

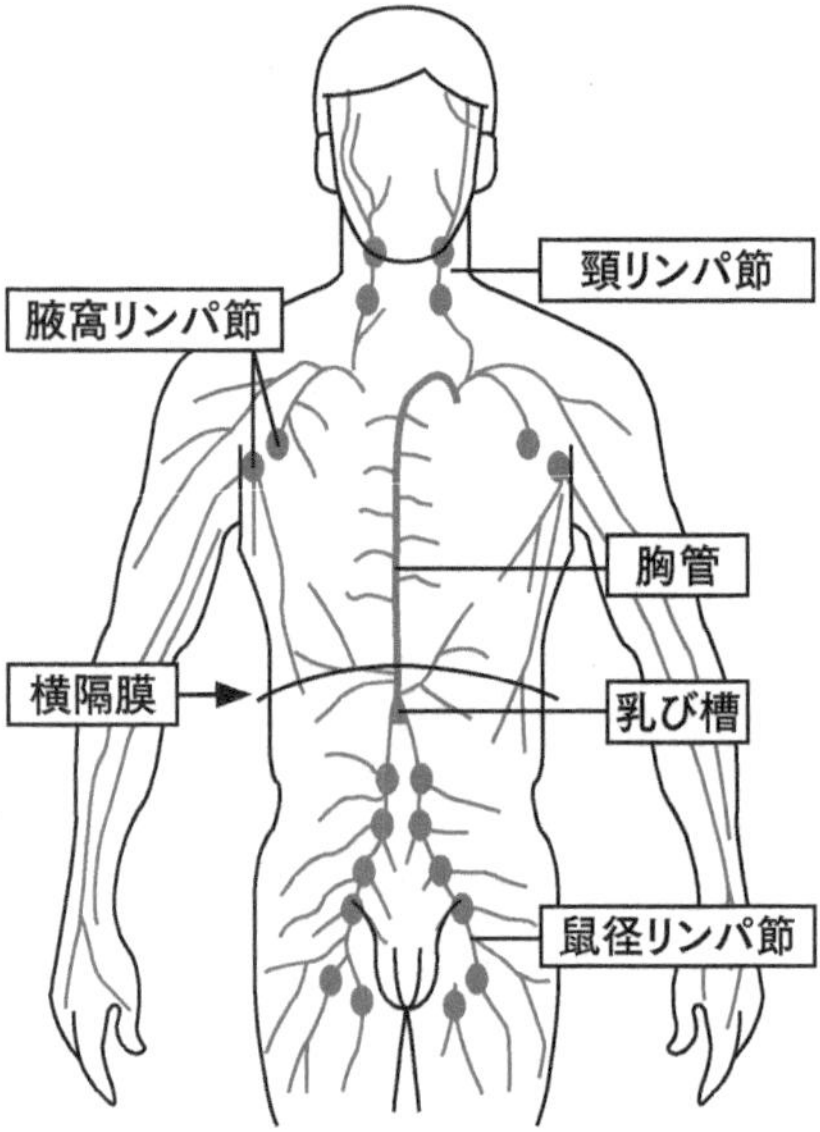

図2－3　全身のリンパ管系

した」

彼はその後、ネコやヒツジ、ウシ、ブタと、次々に乳び管を発見していきました。アセリによるすばらしい発見は、残念ながら生前には発表されず、亡くなった2年後の1627年になって、二人の友人医師によって図版として出版されました。

なお、若くして世を去ったアセリは、腸間膜根部にあるリンパ節群に「アセリ膵（腺）」としてその名を残しています。

人体最大のリンパ管＝胸管とは？

体の中で最大のリンパ管が「胸管」です。胸管は、胸部の俗に〝みぞおち〟とよばれるところ（胸骨下方のくぼみ）からやや下付近、つまり背骨に投影すれば第1腰椎の高さにある乳び槽から始まり、腹大動脈の後ろから、横隔膜（大動脈裂孔）を貫いて、胸部背側を上行することから、こう名づけられています（図2－3）。

胸管は全長35〜40㎝もあり、最終的には、首の付け根の左鎖骨下静脈と内頸静脈との合流点（左静脈角）に注ぎます（26ページ図1－7a参照）。胸管には、一日あたり2〜3Lのリンパが流れているといわれています。胸管のスタート地点である乳び槽は管壁が薄く、死後は結合組織の中で押しつぶされやすいため、人体解剖実習では閉鎖していることも多く、生体に比べて観察しづらくなっています。屍体でも、たまたま乳び槽にリンパが充満しているときは、膨らんで桶のように見えることがあります。

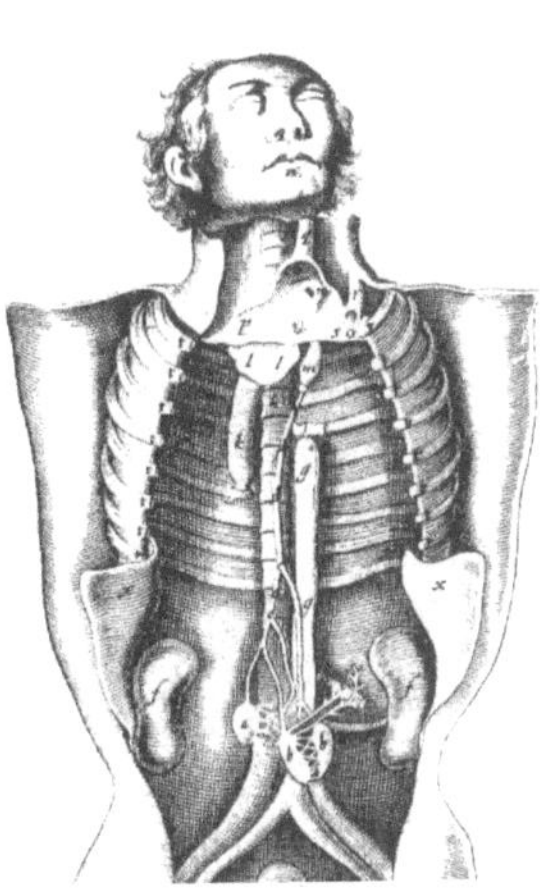

図2－4　トーマス・バルトリンのリンパ管解剖図

フランスの外科医ジーン・ペクエ（1622〜74）は、イヌの胸腔を開いて心臓に出入りする太い血管を切断し、心臓を切除した際に偶然、前大静脈（ヒトでは上大静脈）の切断した端から多量のミルク状の液が流出するのを観察しました。彼は注意深い解剖によって得られた知見から、初めて胸管が乳び管とつながり、上行して内頸静脈と鎖骨下静脈の合流部に入るこ

図2－5　リンパ管の体系づけをしたオラウス・ルードベックの記念像（スウェーデン・ウプサラ大学キャンパス内）

とを知り、1651年にパリで正式に発表しています。これは、「乳びは胸管を経て静脈に流入し、胸管は腹部の乳び槽から起こる」とする先のエウスタキオによる知見を再発見したものです。

　ヒトの胸管については、ペクエと同時代のデンマークの著名な解剖学者トーマス・バルトリン（1616〜80、女性のバルトリン腺・大前庭腺で有名）がリンパ系の解剖を行い、その管をリンパ管とよんで、乳びを肝臓に流すと主張しました（図2-4）。1652年には、オランダのライデン大学解剖学教授で内科医のジョン・フォン・ホーンも、これを乳び管と名づけています。

　一方、スウェーデンのオラウス・ルードベック（1630〜1702、図2-5）は1651年、イヌの直腸壁にある管が透明なことから漿膜管とよんでいます。また、彼は1652年に胸管や肝リンパ管を宮廷における解剖のデモンストレーションで示しましたが、胸管はそれ以前に、ペクエやホーンらによって発見されていました。ルードベックは1653年の論文で、血管系と同様、人体の機能単位としてリンパ管の体系づけを発表しています（図２－６）。

なお、古くから議論のあるリンパ管発見におけるバルトリンとルードベックの優先権争いについては、17世紀半ばで正確な記録・情報が少なく、定かではありません。ただ、どうやらルードベックの記載のほうがより系統的で精密であることから、リンパ系の機能の発見という観点でより高い評価を受けているようです。

２－２　リンパ研究の草分け

西洋医学の夜明け

日本がまだ鎖国状態にあった18世紀、西洋の医学を知るには長崎のオランダ通詞を介して西洋人の医師と接する機会を得ることが第一歩でした。このような背景を考えると、日本の医学史における『解体新書』と蘭学の勃興はまさに画期的なことといえます。

『解体新書』が出版されたのが１７７４年ですから、山脇東洋によって古医方の実証精神に基づいて日本で公式に人体解剖がなされた１７５４年からちょうど20年後のことになります。『解体新書』は、ドイツ人ヨハン・アダム・クルムスの原著でドイツ語版の『解剖学表』の、オランダ語訳版として刊行された『ターヘル・アナトミア』を当時、蘭医で蘭学者であった杉田玄白、前野良沢、中川淳庵らが日本語に翻訳したものです。

『解体新書』発刊の前年にあたる1773年に、『解体約図』が出版されています。『解体新書』の要約と略図を記した冊子で、当時の言葉でいう報帖《ひきふだ》、今日の広告に相当します。杉田玄白が予定していた『解体新書』の出版に先立ち、幕府の発刊許可の意向を探ったものではないかとも推測されています。それより9年前に、後藤梨春という人物の著書『紅毛談』がオランダ語で記してあることを理由に絶版を命ぜられた事件があったことが要因と考えられています。

図2－6　リンパ管の体系を示すルードベックの論文（ウプサラ大学図書館所蔵）

『解体新書』には、リンパ系についての概略が記載されていますが、聞きなれない名前がたくさん出てきます。その一つである「ゲール管」（奇縷《きろう》管）は太いリンパ管である胸管を指し、「ゲールクワキウ」（奇縷科臼）とあるのが乳び槽です。ゲール（奇縷）（gyl）は、オランダ語で「乳び」を意味しています。エキドウ（液道）は乳び管です。

さらに、スイドウ（水道）は、「①透明な膜から成る細管、②清稀な液が流れ、③乳びが流れることもある」とあり、リンパ管を示しています。『解体新書』では、腸間膜に始まるリンパ管、すなわち乳び管は上行して胸管となり、鎖骨下静脈に注ぐまでの全長が描かれています（図2－7a）。

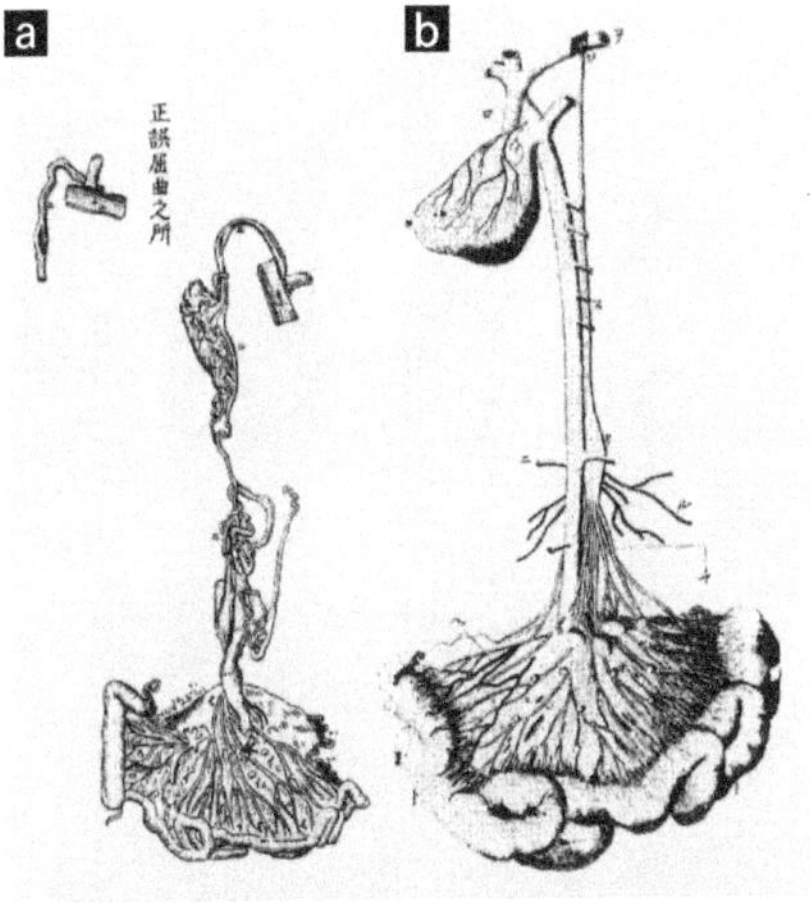

図2－7　胸管解剖図　a：『解体新書』（杉田玄白、1774）、b：『医範提綱内象銅板図』（宇田川玄真、1808）

当時はまだ人体解剖はまれで、ほとんどがキツネやカワウソなどの動物の解剖でした。天文学とともに解剖学の研究にも励んでいた現在の大分県杵築市出身の麻田剛立（1734～99）も、1773年にキツネの解剖で乳び管を観察して、「狐ニゲールクワト云如キモノアリ」と、大阪から豊後（大分）の両子山麓の医師・蘭学者三浦安貞（梅園）（1723～89）に書き送っています。

乳びという用語は、『和蘭内景医範提綱』（宇田川玄真、1805）で使われたものであり（図2－7b）、中国のことばを用いたとされています。『和蘭内景医範提綱』は、当時のオランダ語の医学書を編集したものです。付図『内象銅板図一巻』は、我が国初の銅板画による解剖図譜で、記述は『解体新書』よりもはるかに詳細をきわめています。

『解体新書』その後

実際にヒトを解剖して、日本で初めてリンパ管を見て書かれたとされるのが『解観大意』（波多野貫道、1812）です（図2－8）。乳び管から起こる胸管の走行を、「乳ビ管ノ腸ヨリ起テ鎖骨下静脈ニ貫通スル処ヲ諦《つまびらか》ニ観ルコトヲ得タリ」としています。『解観大意』の図には、胸管が3ヵ所でとぐろを巻いたように描かれていますが、胸管はしばしば数本に分枝したのちに、ふたたび合流して島状の形をつくったりしますので、その描画ぶりには興味深いものがあります。

なお、乳び管（胸管）の走行について、人体解剖によって確かめたものとして『解臓図賦』（池田冬蔵、1822）などの出版もあります。麻田剛立の手紙は、『解体新書』出版の1年半以上も前のことですので、麻田は解体新書を見ていないことになります。しかし、『解体新書』に先だって、前述のように『解体約図』が江戸で出版されており、わずか五葉から成る小草子のようなものではありましたが、当時の漢方医にとって驚くべき内容だったことから、麻田はそれを読んでいたものと推測されます。あるいは、原書である『ターヘル・アナトミア』を目にしていたのかもしれません。

いずれにしても、『解体約図』ではゲール管が鎖骨下動脈に入ると記されていたものが、翌年の『解体新書』では鎖骨下静脈に訂正されています。『解体新書』の図には、原書通り小さな訂正図が付され、「正誤屈曲之所」と記されて静脈に入り込むと記されています（図２－７ａの左上）。

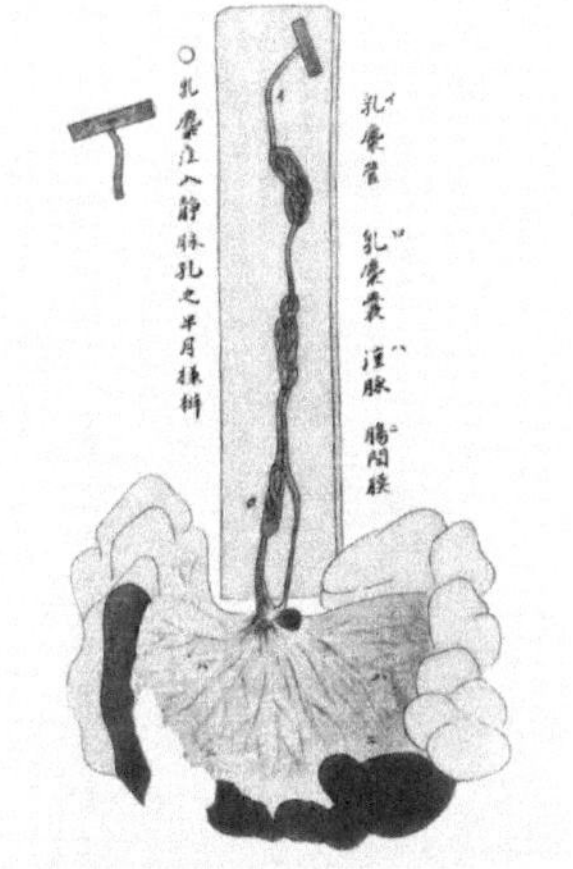

図2－8 『解観大意』(波多野貫道、1812)の胸管解剖図

このことに関して、前記の「リンパ管研究の歴史」（小谷正彦）の中には、「クルムスは図版製作者の過失により、胸管が上方に向かってやや屈曲し過ぎて刻まれているが、その上端はもっと自然の位置にあらねばならないとし、訂正図を付している。その詳細をもなおざりにすることなく、『解体新書』がいかに正確に訳そうとしたかがうかがえる」と記されています。

なお、玄白は『解体新書』が不十分な訳であると知りつつも、一日も早く世に出したいという気持ちから出版を急いだため、改訂作業を門人の大槻玄沢に託しました。1826年、13冊から成る『重訂解体新書』が刊行され、ここではゲールの用語に対して、〝乳び〟の語が使われています。

このように江戸末期の蘭学時代は、乳び管（胸管）の観察が大きな目的の一つであったことがわかります。当時の西洋医学（和蘭医学）者がなぜ観察しにくい胸管などに強く興味をもっていたのかふしぎですが、『解体新書の謎』（2010）の著者大城孟氏は「彼らがガレノスのいう精気を見つけたいと信じていたからであろう」と考察しています。それにもかかわらず、わが国ではその後約100年はリンパ管研究の空白時代となりました。

2-3 リンパ管を見る

リンパ管を再現した「解剖のヴィーナス」

数は少ないのですが、17世紀以前の人々も、人体の構造を知るために屍体を解剖して調べています。しかし、当時はまだ防腐処理技術が存在せず、十分な保存状態ではなかったために、解剖体はすぐに腐敗してしまい、臓器の精密な観察はできませんでした。

17〜18世紀には解剖体から直接、石膏などで型取りし、蜜ロウを注入してできあがったものにていねいに彩色する方法で、ワックス（ロウ）によるヒトの臓器の立体模型がつくられるようになりました。このような模型を「ムラージュ」（ロウ型模型）といいます（図２－９、図２－10）。ヨーロッパ各地には、当時のムラージュが多く現存しています。

なかでも、特筆すべきはイタリア・フィレンツェの動物学博物館にある人類部門ラ・スペコーラのものです。一般に「フィレンツェ・ラ・スペコーラ美術館」とよばれる同所には、「解剖のヴィーナス」とも称される少女のムラージュがあります。クレメンテ・スッシーニという優れた技をもったロウ型模型製作の専門家によるもので、16歳で死亡した少女の身体を、腐敗前のフレッシュな状態のまま型取りすることで、血管や神経はもちろん、驚くことにリン

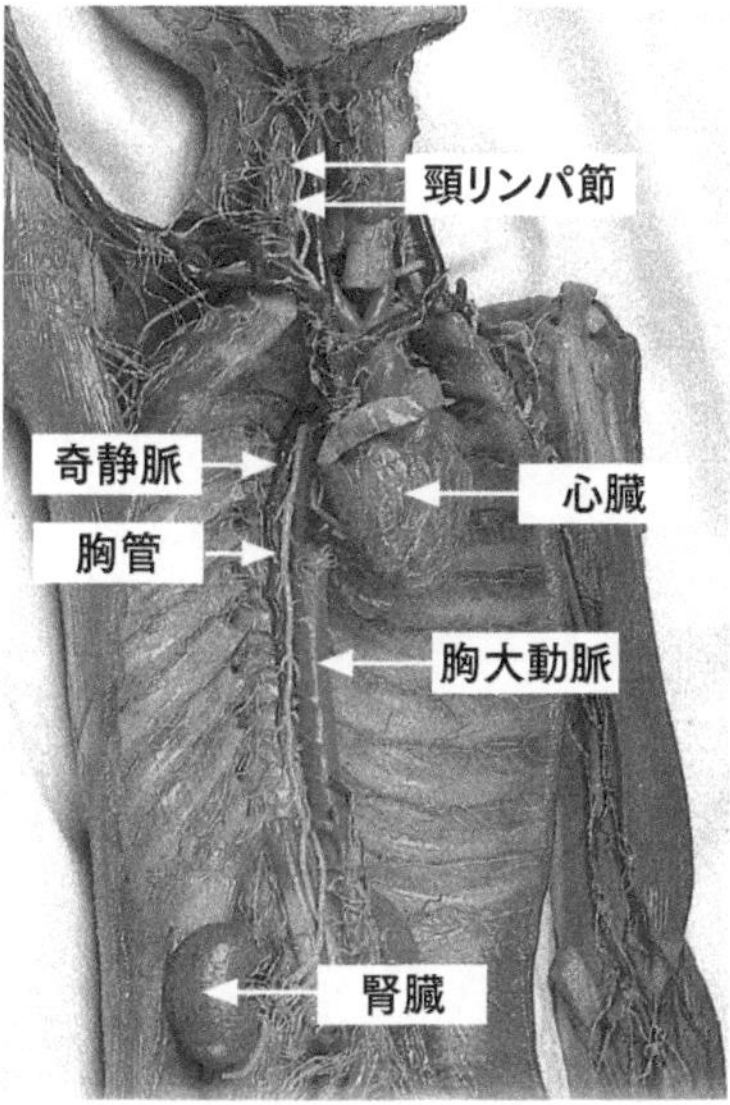

図２－９　上半身後壁・臓器のムラージュ（ロウ型模型）（『解剖百科』、タッシェン・アイコンシリーズ、2002より引用。名称は筆者付記）

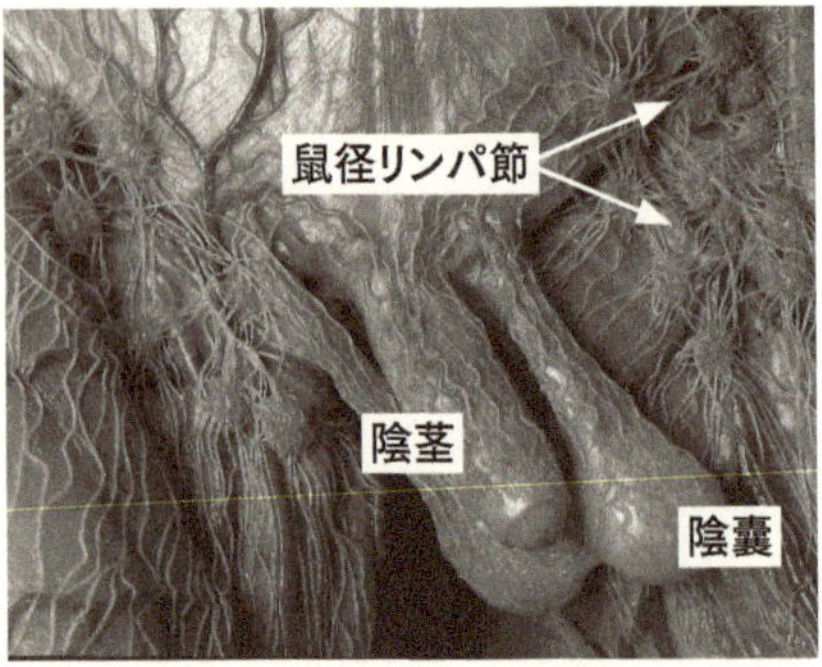

図2－10　男性の鼠径部・生殖器のムラージュ
多くの鼠径リンパ節とリンパ管網がよく見られる
（『解剖百科』より引用。名称は筆者付記）

パ管などの比較的微細な部分までリアルに再現しています。

図2－9では動脈と静脈のあいだを上行する胸管がよく示されています。図2－10では、男性の身体で、精巣や陰茎、鼠径部のリンパ管網や、数多くのリンパ節も見事にかたどられています。

ミルクを注入してリンパ管を見る

全身のリンパ管を肉眼的に描出して観察するために、古くは17世紀頃から、空気やミルクなど種々の物質をリンパ管に注入することが試みられ、多くの観察・報告がなされてきました。前述のアセリの観察後、1692年にアントニオ・ヌックは水銀溶液の注入によるリンパ管の描出・観察法を開発し、リンパ管解剖図譜を残しています。

筆者は2011年3月、アメリカ・テキサス州ヒューストンにあるテキサス大学ガルベストン校図書室所蔵のヌックの著書を閲覧する機会を得ました。手にした図版はいずれも小さなものですが、約４世紀も前のその精巧なリンパ管描画に、ワクワクしながらページをめくったものです（図２－11、図２－12）。

ヌックから１００年近く時代は下りますが、１７８６年に同様の方法を用いて献体された屍体の全身のリンパ管を観察し、包括的な成書を初めて刊行したのがイギリスのウイリアム・クリックシャンクとされています。

その後、パウロ・マスカーニはきわめて精細な多数のリンパ管解剖の銅版画を残しています（図２－13）。この大版の図譜も、幸運にも同じテキサス大学ガルベストン校の図書室にあり、司書の方のご厚意で拝見することができました。マスカーニはまた、リンパ浮腫の原因が弁構造の不備、もしくはリンパ管の閉塞によることを認識していたようです。

さらに、フランスのシャピーも水銀注入法を用いて観察し、体系的なヒトリンパ管系の著書を出版しています（図２－14）。この報告は、ヒトの胎児を使用したもので

図２－11　アントニオ・ヌックのリンパ管に関する小さな解剖図書（1692）（テキサス大学ガルベストン校図書室所蔵）

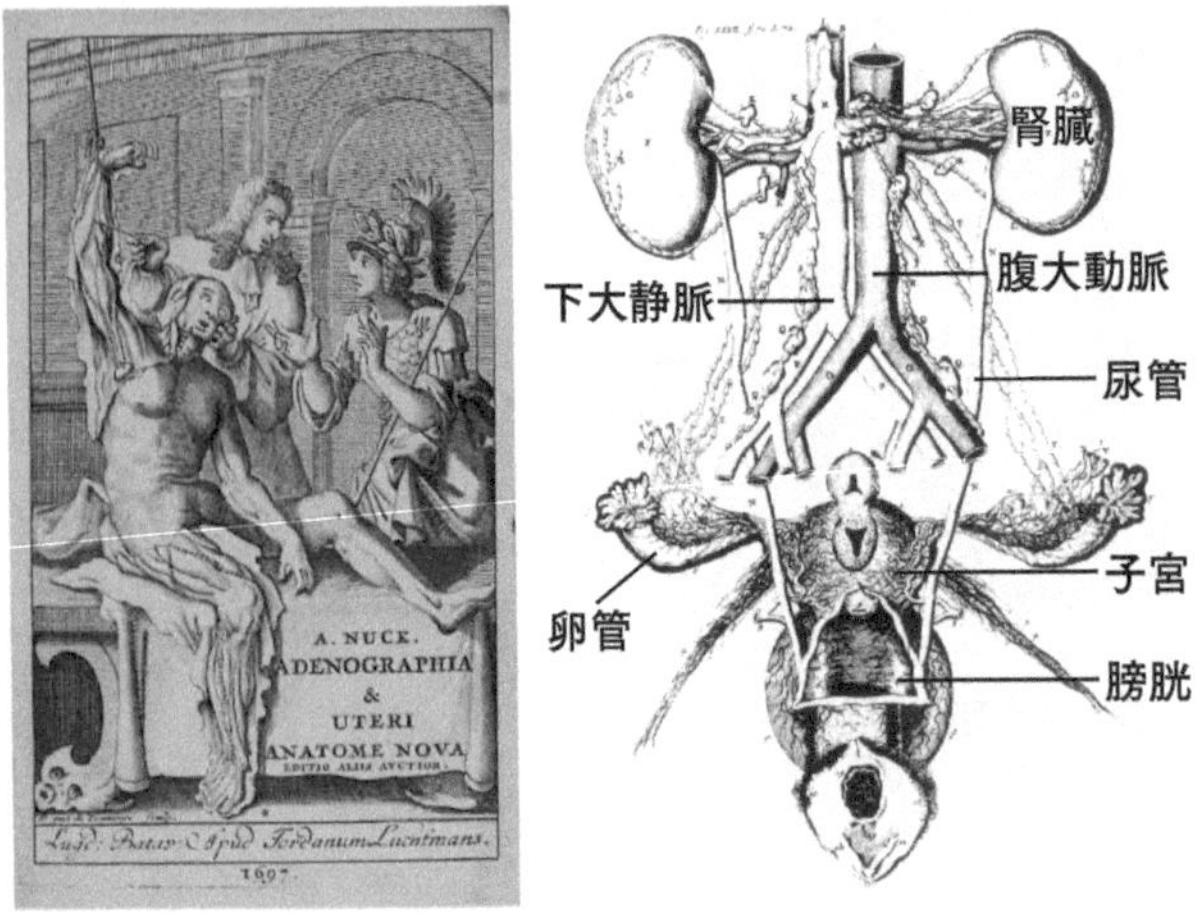

図2－12　ヌックの解剖図書（図2－11）の中の絵（左）とリンパ管に水銀溶液を注入した腎臓と女性生殖器の図（右）（臓器名は筆者付記）

すが、今なおリンパ管系の肉眼解剖学の基盤となっており、シャピーはリンパ管研究における最大の貢献者の一人とされています。

1896年には、顕微鏡の発達に加え、リンパ管注入剤の開発もあって、ルーマニアのゲロータが新しい観察研究法を発表しました。ゲロータ法とよばれるその手法で使われる注入剤は、油性色素を使ったもので、従来使用されていた水銀の毒性や常温での揮発性といった欠点を除いた優れたものでした。

1909年、ポール・バルテルスはこのゲロータ法を用い、胎児を研究対象としてリンパ管解剖成書を刊行しています。また、リンパ管の分布に関しては、1967年にシュパルテホルツとスパネルによる詳細な解剖図譜が出されました。

リンパ管の観察法として隆盛をきわめたゲロータ法は、リンパ管に直接、色素を注入するものではなく、組織間隙に色素を注入し、周囲の微細なリンパ管に色素を吸収させて描出する、いわば間接的な描出法です。色素のリンパ管内の移動距離が短いことや、成人では描出の成功率が低いことから、もっぱら胎児を対象にすることを余儀なくされ、研究上の困難がありました。残念なことではありますが、近年では、特に医療倫理の観点や献体の問題などから、ヒトのリンパを肉眼で観察する解剖学的研究について新たな報告は、世界的に非常に少なくなっています。

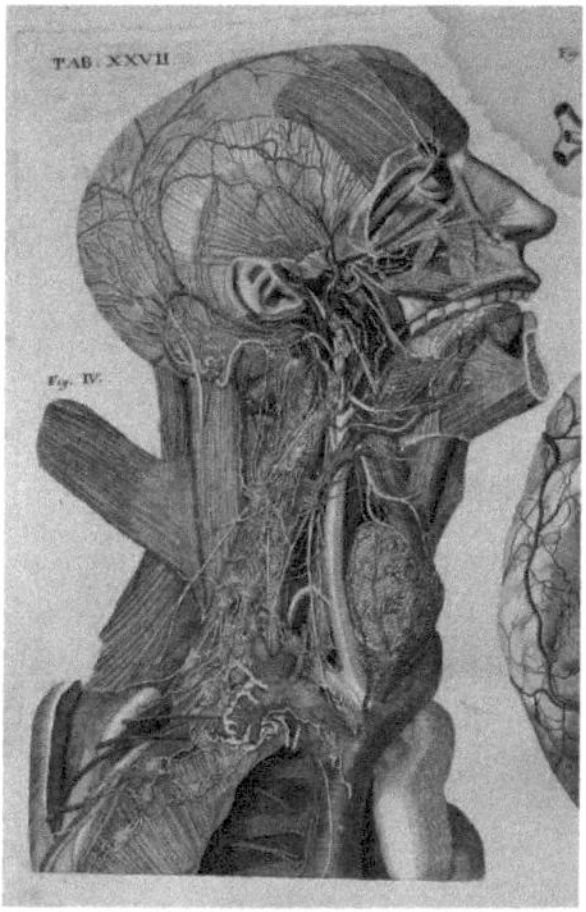

図2－13　パウロ・マスカーニの人体頭頸部の解剖図（1787）

日本が世界に誇るリンパ研究

日本では、江戸末期からの長い空白の年月を経て、20世紀に入って足立文太郎（京都大学解剖学初代教授）によって動静脈やリンパ管の形態的研究が精力的になされるようになり、リンパ管研究に光が差しました。つづいて、木原卓三郎（京都大学解剖学第2代教授）がゲロータ法を用いて複数の胎児の上肢・下肢のリンパ経路の詳細な研究を行って

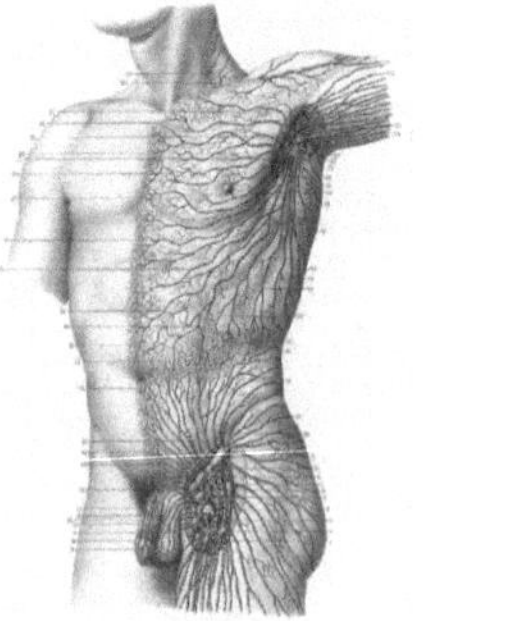

図2－14　シャピーの解剖図書4巻（1879、左）と人体半身の皮下のリンパ管分布図（右）

います。

足立の研究成果は、遺稿を託された木原によって、1953年に教室専属の画家による精密な描画を中心とした『日本人のリンパ管系そのI、日本人の胸管』として出版されました。足立本人は我が国の、いや世界のリンパ学史に残るきわめて重要なこの人体リンパ管図譜書の刊行を待つことなく、1945年に80歳で他界しています。

1963年には、木原が骨膜や筋膜から起こる深いリンパ管系について、『日本人のリンパ管系そのII』を出版し、詳細な図譜によってリンパ管の走行に伴うリンパ節の存在を明らかにしました。両書の刊行は世界に誇る偉大な業績であり、日本のリンパ学研究の金字塔です。

木原らはまた、リンパ管の起始部に着目し、組織液がどのようにして毛細リンパ管に流れ着くかについて、詳細な研究・観察を進めていきました。その結果、組織には組織液の流れやすいところと流れにくいところがあることを示し、組織液の流れやすいところは、細網線維の網目のある通液路になっているとする「脈管外通液路系」の概念を提唱しました（92ページ参照）。

同時代に、初めてリンパの化学的組成を明らかにしたのが、舟岡省吾（京都大学解剖学教授）です。世界で初めてリンパ管造影を行った舟岡の業績は、ドイツ語による論文として発表されています。

リンパ管の構造と微細な分布に関する探究が進められる一方で、生理学の分野では、西丸和義（広島大学生理学教室教授）らによるリンパ管の運動生理、リンパの生理的意義に関する研究が推進されてきました。リンパ管の運動生理学的な研究は、１９８０年代になって、循環生理学を専攻する大橋俊夫（信州大学医学部器官制御生理学講座教授、日本リンパ学会理事長）グループのリンパ微小循環生理学、特に微小循環系とリンパ循環との連携を軸とした精力的な研究によって新しい展開を見せています。

少し専門的になりますが、近年のリンパ学における進展には、①リンパ輸送に関するリンパ管の筋ポンプ作用と自発的収縮や神経支配、②リンパ節におけるアルブミンの濃縮機構とリンパ循環動態および自然免疫反応、③がんの微小環境とリンパ管新生およびリンパ節転移機構など、「微小循環学」「免疫学」「腫瘍学」を合体した『新しいリンパ学』の学問体系の創生があります。

図2－15　国際リンパ学会（第12回、1989、東京）のプログラムの表紙

世界のリンパ学

「リンパ学」領域の研究に携わる世界のリンパ学者たちの集まる研究集会として、2年に1度開催される国際リンパ学会議（ＩＳＬ）があります。

　１９９１年第13回国際会議（フランス・パリ）では、リンパ管の発見という偉大な業績を讃えて、アセリの肖像がプログラムの表紙を飾りました。アセリは、イタリア・ジェノバで行われた２００１年第18回国際会議でも再登場し、没後３８０年以上が経った今もなお、後進のリンパ学研究者たちに語りかけています。

　パリの会議では、筆者も開会前日に現地入りし、アセリの肖像の載る分厚い抄録のページをめくりました。発表当日はリーディングペーパーを懐に緊張して口演したものです。無事終了した夕刻、ほっと一息ついて口にしたワインの味は、若き研究者としての思い出の一つです。

　フランスの前の回、１９８９年第12回国際会議が東京で開催されました。このときのプログラムの表紙は棟方志功の版画が飾り、あたかもリンパ管の中をリンパ球が大急ぎで流れているような絵柄は象徴的なものでした（図２－15）。表紙下方のすばらしい篆刻《てんこく》「淋」は、リンパ＝「淋巴」を示しています。

第3章

リンパの源流をたどる

3－1 毛細リンパ管ってどんな管？

〝リンパの源流〟＝毛細リンパ管を見る

動脈と静脈をつなぐ毛細血管の名は、文字通り毛のように細い血管という意味からつけられました。その直径は約10㎛で、直径約8㎛の赤血球がやっと1～2個並んで通れるほどのきわめて細い管です。毛細血管を肉眼で見ることはできず、観察には顕微鏡が必要です。

リンパ管の太さはどのくらいなのでしょうか？　リンパ管の始まりの部分は毛細血管より太く、直径は20～75㎛ほどです。日本では血管と同様、毛細リンパ管ということばが一般的に用いられています。毛細血管よりかなり太いのですが、やはり肉眼では見えません。目には見えないけれど、ほとんどの組織で存在しています。

組織液を吸収してリンパの流れが始まる細いリンパ管の先端部は、袋状に閉じた状態（盲端とよぶ）になっています。〝リンパ管のはじまり（起始）〟という意味で、欧米では「起始リンパ管」とよばれています。「終末リンパ管」という呼び名もありますが、リンパの流れの方向から見て終末ではなく、あくまで始まりであり、ふさわしくない表現です（図3－1）。

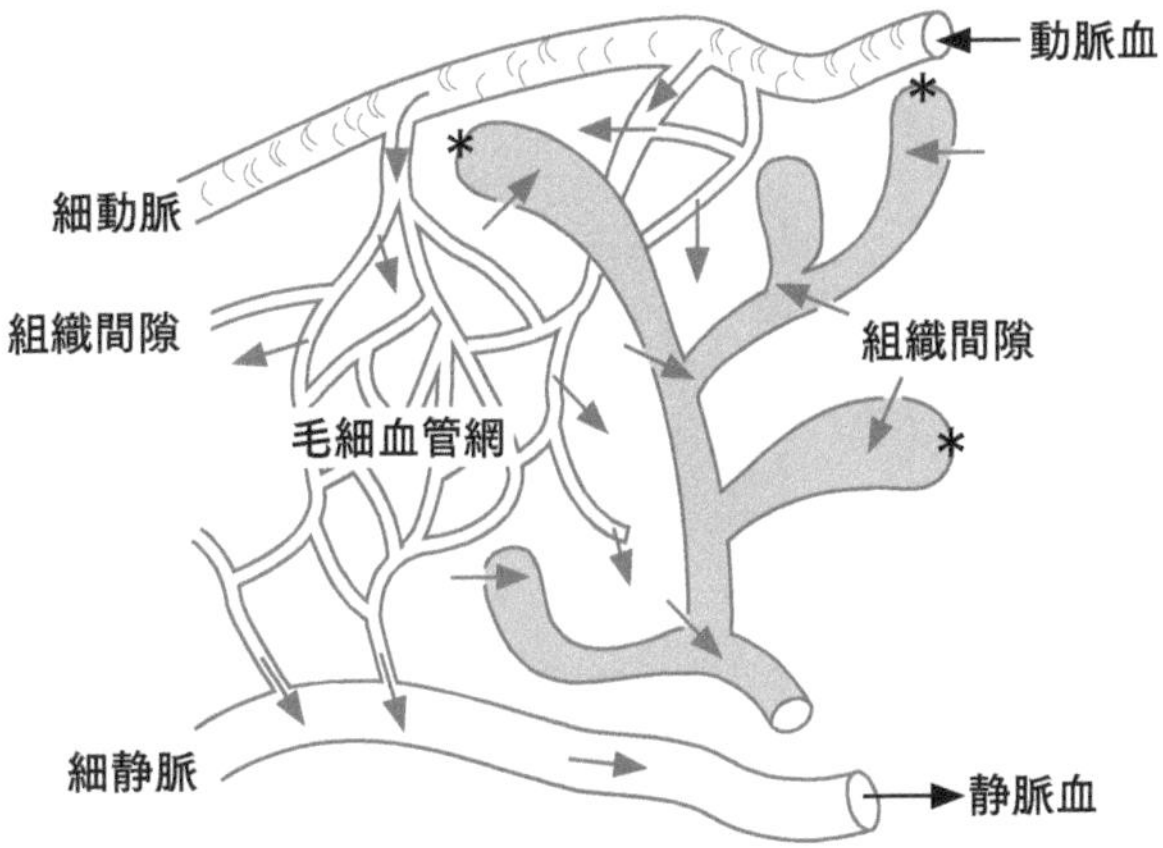

図3－1　組織における毛細リンパ管（灰色）と毛細血管網の模式図　多数の矢印は血液・組織液・リンパ液の流れを表し、＊印は毛細リンパ管の起始部を示す

本書では、毛細リンパ管の名で統一しています。毛細リンパ管からリンパを集めて運ぶ管を「集合リンパ管」、さらに太いリンパ管を「リンパ本幹」とよび、胸管のほかに腰リンパ本幹、腸リンパ本幹、気管支縦隔リンパ本幹、鎖骨下リンパ本幹、頸リンパ本幹などがあります（26ページ図1－7a参照）。

組織内の毛細リンパ管はどこから、どのような形で始まるのでしょうか？　肉眼で見ることのできない毛細リンパ管の起始部の構造がどうなっているのか、古くから興味をもたれてきました。

〝リンパの源流〟を知ることは、どのようにして組織液が毛細リンパ管に吸収され、リンパの流れが始まるのかを知るうえでたいへん重要です。しかし、毛細リンパ管の閉鎖した

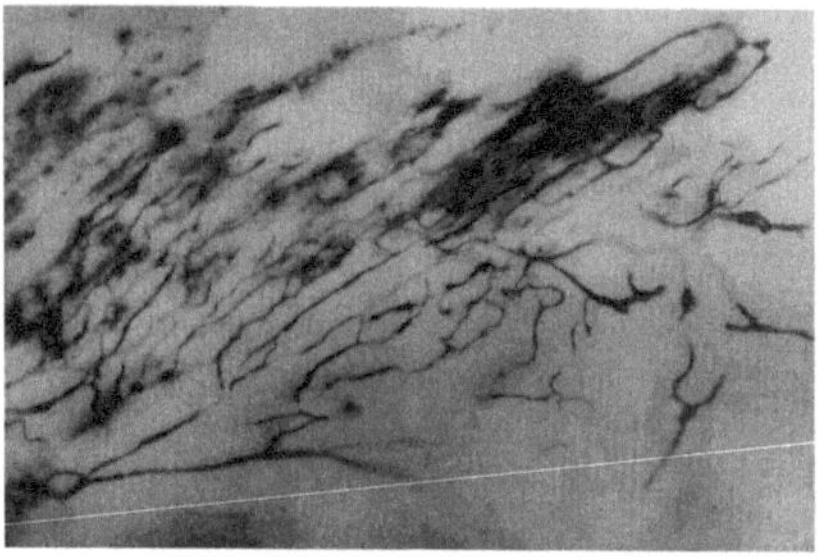

図3－2　心臓の房室弁のリンパ管網。イヌの心臓の弁に注射針を刺して墨汁を注入した標本
（大分大学医学部・島田達生先生提供）

先端部を観察することは技術的に困難で、そこから始まるネットワーク（毛細リンパ管網）を直接、顕微鏡で観察した例はほとんどありませんでした。古くから種々の実験・観察をもとに、多くの想定図案が描かれてきましたが、いずれも靴の上から足を掻くごとく、不確かでもどかしいものでした。

古い研究論文でリンパ管として報告されたもののなかには、血管と見誤っているものも少なからずあります。リンパ管の確定や、血管との区別が不十分であったことが、リンパ管学研究の隘路《あいろ》だったのです。リンパ管学の領域では古くから、組織内のリンパ管をどのような方法で描出・観察するか、すなわちリンパ管の観察法が大きな課題でありつづけてきました。

近年までのリンパ管観察の研究では、墨汁や微粒子活性炭（墨汁粒子の10分の1で、直径約21nm）、水銀や硝酸銀水溶液あるいは種々の色素液など、さまざまな注入材料が用いられてきました。これらの注入物を注射器を使って直接、組織に注入するのです（穿刺注入法）。

注入物は、穿刺部位の結合組織間隙からリンパ管に吸収され、太いリンパ管を経て付近のリンパ節に達します。穿刺の部位や方法によってはリンパ管網がよく現れ、リンパ管網とリンパの流れを観察することができます（図３－２）。

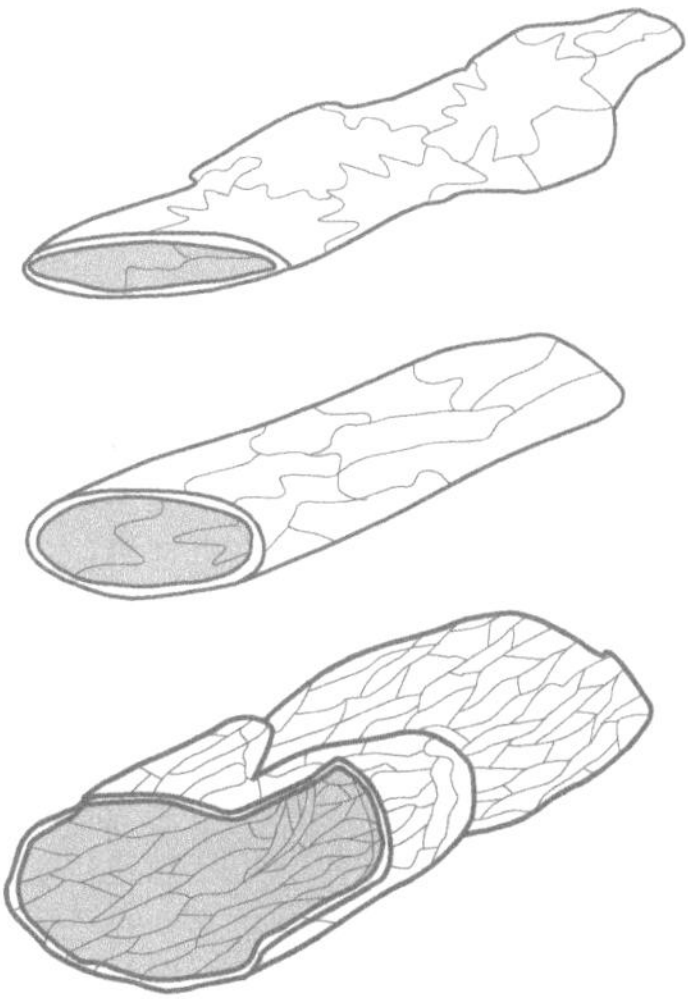

図３－３　リンパ管による内皮細胞の結合形式の特徴（模式図）

穿刺によるリンパ管の描出法の一つである前出のゲロータ法は注入後の保存性がよく、微細なリンパ管網の観察に適しているため、20世紀になって光学顕微鏡の開発・普及が進むとともに広く使われるようになりました。ゲロータ法を用いた胎児の観察が精力的になされ、リンパ管が急に細くなったり太くなったりして一定しておらず、複雑な網を構成していることが解明されてきました。

日本で開発されたリンパ管描出法として特筆すべきものは、森堅志（東京医科大学）らによって考案された硝酸銀水溶液と墨汁の混合液の動脈内注入法（加墨汁硝酸銀水局所動脈注入法）です。墨は血管内に残ってリンパ管内には届かないため、リンパ管内皮細胞の境界に銀粒子が沈着して、還元銀（銀黒）として容易に観察できるのです。リンパ管内皮細胞どうしの結合（細胞境界）は、お互いにジグソーパズルのように入り組んで、柏の葉のようになめらかに蛇行した線として確認できるのが特徴です（図3－3）。

リンパ管の収縮回数は血管の15分の1

組織におけるリンパ管、動脈、静脈の細管の光学顕微鏡写真と、走査型電子顕微鏡（SEM）写真を示します（図3－4a、図3－4b）。毛細リンパ管の管壁は一層の内皮細胞から成っており、動脈や静脈の管壁と比べてきわめて薄いことがわかります。

20世紀の後半になって、透過型（TEM）および走査型（SEM）電子顕微鏡が開発され、細管の管壁の微細構造が明らかにされたことで、血管とリンパ管の違いが毛細管レベルで論じられるようになりました（図3－5）。

扁平な形をしている内皮細胞間の結合は、血管内皮細胞どうしの結合とは異なり、重なりあったり入り組みあったりするため、しばしば小さな隙間があります（内皮細胞間隙）。この隙間が開くことによって血液が組織間隙に漏れ、やがて毛細リンパ管に吸収されます。

リンパ管内皮細胞内には、収縮運動に関連する細線維であるアクチン、ミオシン、チューブリンなどが含まれており、内皮細胞自身が収縮能をもつと考えられています。同時に、内皮細胞の外周にある結合組織性の基底膜は未発達で不連続となっており、ときには欠けている場合もあります。基底膜がない部分には、リンパ管内皮細胞と周囲の結合組織をつなぐ細いフィラメントがあります。これはリンパ管内皮細胞を碇《いかり》のように周囲の結合組織に係留していることから「係留フィラメント」とよばれています（34ページ図１－９、35ページ図１－10参照）。組織圧が高まっても、薄い壁からなるリンパ管が押しつぶされずに働くために必須のものです。

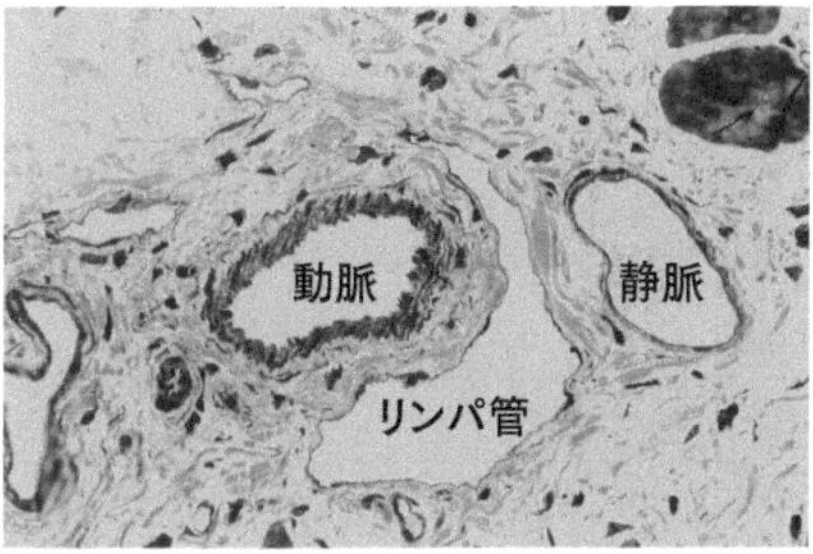

図３－４a　皮膚組織の光学顕微鏡像　管壁の厚さの差で、リンパ管、動脈、静脈の３つの管が区別される

毛細リンパ管からやがて集合リンパ管、リンパ本幹へと直径が太くなるにつれて、管壁は厚くなります。内側が１層の内皮細胞で覆われていることは細いリンパ管と同じですが、内皮細胞の外側に連続した基底膜があり、それを取り囲むように平滑筋細胞と膠原線維があるためです。

リンパ管壁の平滑筋細胞の分布密度は、動物によって、また体のどの部位のリンパ管であるかによって少し異なり

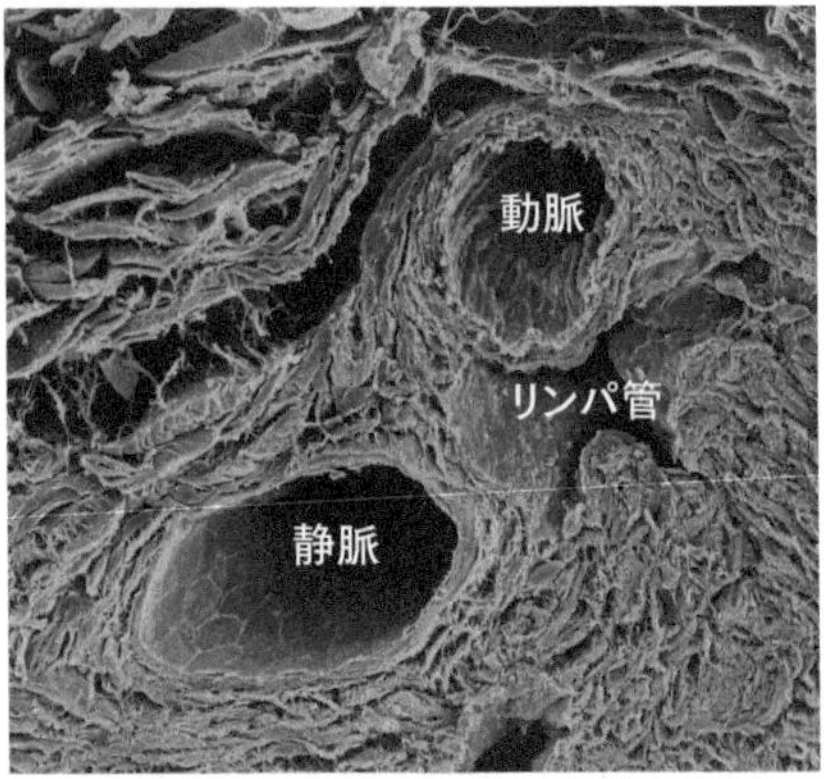

図3－4b　皮膚組織のSEM像

ます。直立二足歩行で、静水圧負荷の大きいヒトの下肢のリンパ管では、管壁の平滑筋が上肢の内外2層と比べて3層と厚いので、「筋型リンパ管」とよばれています。筋型リンパ管には、1分間に4～6回の周期でリズミカルな収縮をする筋原性の自発性収縮があります。心室が毎分何回収縮するかを示す回数である心臓の拍動数（心拍数）は、安静時で60～90回／分ですので、リンパ管の収縮はその約15分の1と、たいへんゆっくりしたものです。

筆者らは、腸間膜や横隔膜などの膜状の組織や、胃や腸などの薄い管壁をスライドガラスの上に伸ばして貼りつけたもの（伸展標本）を低濃度（約1％）の過酸化水素水に短時間（約1分以内）浸けて反応させ、効率よくリンパ管を可視化することを可能にしました。この方法は、臓器表面の毛細リンパ管を可視化する際にきわめて有効です。

近年、テキサス大学の須網博夫博士はヒトの屍体や実験動物を用いて、肉眼解剖レベルで全身の集合リンパ管やリンパ節の描出を試みています。局部のリンパ管に金属を含むオレンジ色の色

	毛細リンパ管	毛細血管
太さ(直径)	不揃い(20～150μm)	均一(7～10μm)
管腔(断面)	不規則	類円形
構築(網目)	粗(0.1～2mm)	密(10～50μm)
内皮細胞の形(細胞境界)	柏の葉状(波状)	紡錘形(直線状)
細胞間接合	接着帯	閉鎖帯
辺縁ヒダ	無	有
飲小胞の数	中等度	豊富
小孔(窓)の数	無	豊富(内分泌型)
Weibel-Paladeの小体	有	有
基底板	未発達、不連続	発達、連続
係留フィラメント	有	無

図3－5　毛細リンパ管と毛細血管の微細構造の比較

素(造影剤)を直接注入して、リンパ管網・リンパ管の走行と途中のリンパ節の分布などを詳細に観察する方法です(図3－6)。

リンパ管を染め出す

20世紀後半のリンパ管の形態科学の研究において、電子顕微鏡による微細構造の観察の一方で、種々の疾患の判定――たとえば、血管腫かリンパ管腫か――に、臨床組織検査の立場や実験病理の領域からも「毛細血管と毛細リンパ管の鑑別診断」が必要とされ、より確実で実利的な検査法が求められるようになりました。

このような経過から、〝リンパ管をいかに染め出すか〟という新しい観察法の開発・応用が展開されました。以下、リンパ管の染色法の開発について、近年のリンパ管学研究の一里塚と

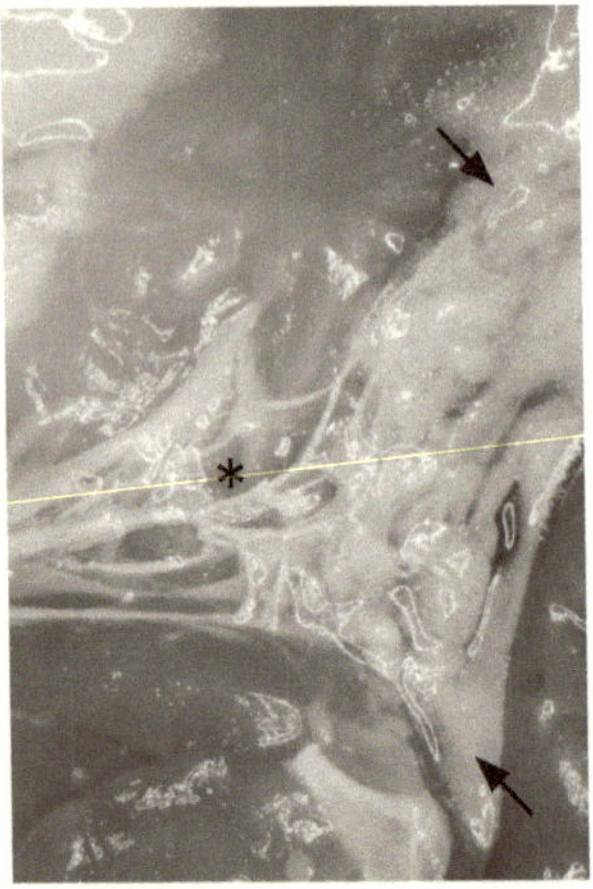

図3－6　ラットのリンパ管とリンパ節　リンパ管に注射針を刺して直接オレンジ色の色素液（造影剤）を注入し、リンパ管網（＊）とリンパ節（矢印）を示した（テキサス大学・須網博夫先生提供）

して、筆者らの研究成果を紹介しましょう。

リンパ管内皮細胞は種々の酵素を含みますが、たいへん興味深いことに、血管と比べて5'－ヌクレオチダーゼ（5'－Nase）という酵素が多いという特徴があります（図3－7右表）。5'－Naseは、ヌクレオシド5'－リン酸を加水分解してヌクレオシドと無機リン酸を生成する酵素で、生化学分野の研究では、古くから細胞の原形質膜を同定する指標の一つとしてよく知られています。

この作用に注目して、組織切片や膜状の組織を伸展した標本上で、組織内の5'－Nase酵素を検出するため、アデノシン一リン酸を用いて酵素化学反応させ、反応産物のリン酸を色素あるいは金属でとらえて判定する方法により、リンパ管を染め出すことができるようになりました（図3－7a）。

一方、ほとんどすべての細胞（血液）、体液や組織には、有機化合物のリン酸を分解する酵素

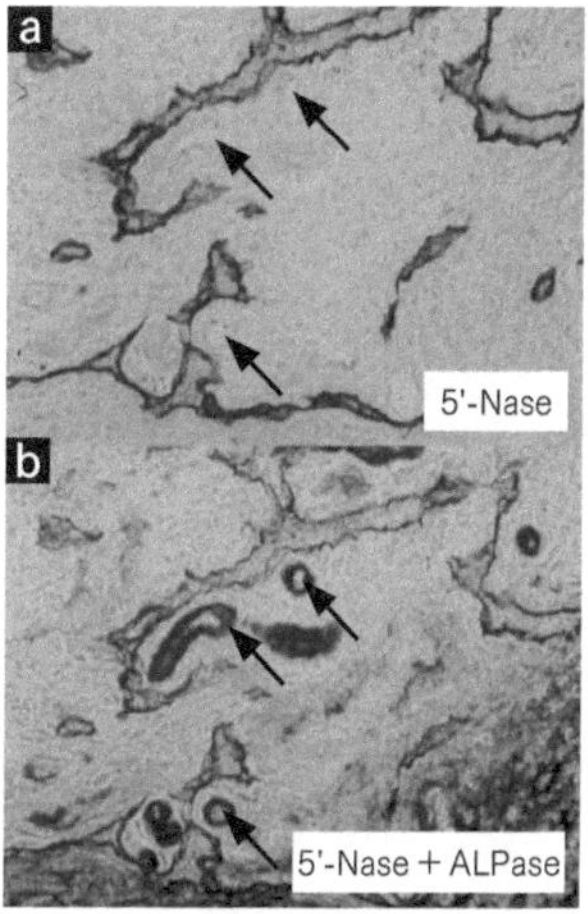

リンパ管と血管の酵素反応（組織）

酵素	リンパ管	血管
5'-Nase（5'-ヌクレオチダーゼ）	＋＋	－/＋
ALPase（アルカリフォスファターゼ）	－/＋	＋＋

a：5'-Naseのみ染色
リンパ管：陽性
血管（矢印）：陰性

b：5'-Nase＋ALPase二重染色
リンパ管：5'-Nase陽性
血管（矢印）：ALPase陽性

図3－7　酵素二重染色によるリンパ管と血管の染別（腸管壁切片）
a、bともに同一標本・視野の写真

群「フォスファターゼ」（リン酸化酵素）があり、アルカリ性で活性のあるアルカリフォスファターゼ（ALPase）がよく知られています。このALPase活性は、リンパ管より血管で高いという特徴があります（図3－7右表）。

そこで、組織のリンパ管と血管を5'－NaseとALPaseで二重染色することにより、リンパ管は5'－Nase反応に強い陽性、血管はALPase反応に強い陽性が現れ、両者を明確に染別することができます（図3－7b）。この酵素二重染色法は、組織を薄切りあるいは剥離した標本や腸間膜、横隔膜などの膜組織で、リンパ管と血管とを毛細管レベルで光顕的に明確に確定できるため、きわめて有用な観察法です（図3－8）。

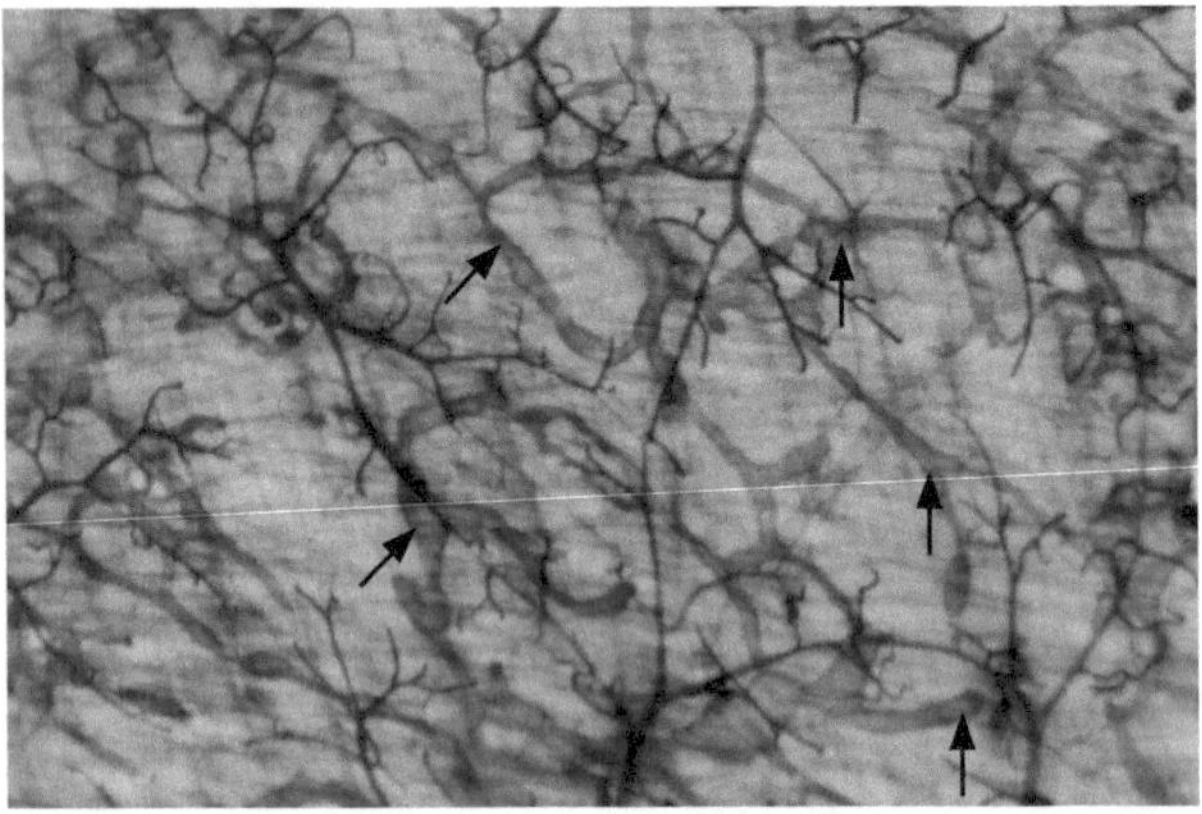

図3－8　酵素二重染色（5'-NaseとALPase）によるリンパ管（矢印）と血管（細い線）の染別（サルの腸管粘膜下層の伸展標本）

さらに、タンパク分解酵素の一つであるジアミノペプチダーゼⅣ（DAPase）の活性が、動脈より静脈で比較的高いことを利用して、第三の酵素として注目しました。すなわち、5'－Nase－DAPase－ALPaseの酵素三重染色を行うことによって、同一標本上で同時にリンパ管、静脈、動脈の染別・同定を可能にしました。

このようにリンパ管の化学反応像を得て光学顕微鏡で観察するためには、発色剤として色素を用いて化学反応産物を発色させます。その際、色素の代わりに金属の鉛やセリウム（捕捉剤）を用いる金属法では反応産物（金属塩）に色はありませんが、SEMで照射された電子線によって金属塩から反射電子が生じるため、リンパ管のハイライト（光輝）像を観察できます（図3－9）。

このようなリンパ管の観察法は、基本的に種々の脈管には酵素活性に差があるという特徴に着目したものであり、従来は観察困難だった毛細リンパ管を特異的に染め出すことを可能にし、ようやくリンパ管の〝源流〟にたどりつくことができるようになったわけです。長いリンパ学の研究史上、画期的な発見・技術開拓であり、その後のリンパ管の免疫組織化学的同定法開発の引き金となったことから、リンパ管研究のブレイクスルーといえましょう。

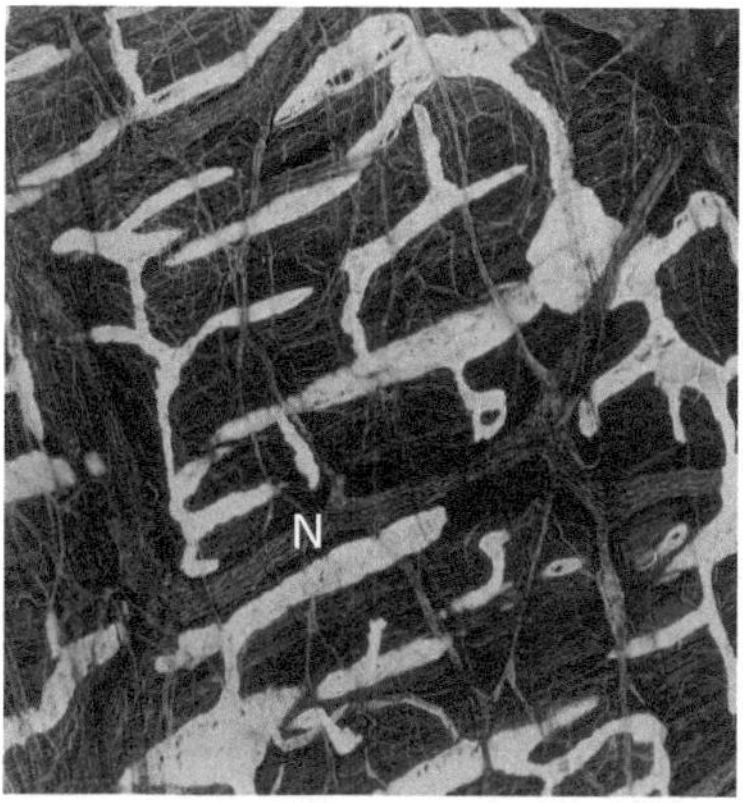

図3−9　腸管壁リンパ管の組織化学SEM像　リンパ管網が白く浮き出ている（ハイライト像）。N：神経線維

リンパ管の三次元立体構造

リンパ管や血管など、脈管とよばれる組織の三次元立体構造を知るにはどうすればよいでしょうか？　20世紀後半の日本で、脈管や中空の臓器の三次元立体構造を観察するため、樹脂注入によって鋳型を得て、SEM観察するという独創的で優れた方法（樹脂鋳型SEM法）が開発されました。

図3－10は集合リンパ管の樹脂鋳型像で、弁と内皮細胞の特徴的な形（細胞境界）がよくわ

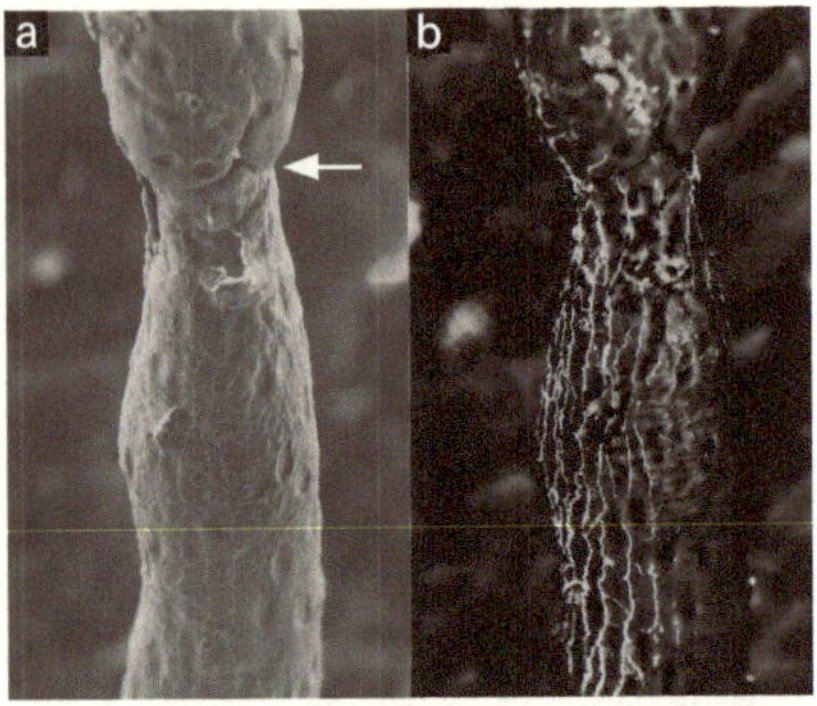

図3－10　リンパ管の樹脂鋳型SEM像　a：二次電子像。弁様構造（矢印）、b：反射電子像。内皮細胞の境界（ハイライト像）がよく見える

かります。図3－11は組織内のリンパ管網と動脈・静脈が絡み合って分布しているようすがよく見られます。特に、先端が袋状に閉じた盲端部、すなわち〝リンパの源流〟が鮮明に写っており、この手法が組織の三次元立体構造の観察にきわめて有用であることを示しています。

組織間隙にある組織液がどのようにして流れ、毛細リンパ管に吸収されていくか、毛細リンパ管の微細形態と関連して、リンパの流れる経路（通液路）をもう少し詳しく見ていきましょう。

リンパの通液路に関しては、75ページで木原らによる「脈管外通液路系」の概念があることを紹介しました。組織の通液路は、①毛細リンパ管までの吸収路を成す「前リンパ管通液路」、②排導リンパ管に付随して排出路となる「傍リンパ管通液路」、③細静脈に付随して、主として吸収路となる「傍静脈通液路」、の3種に分類されます。

たとえば、クモ膜下腔や硬膜下腔に注入した色素が鼻粘膜のリンパ管に出てくることから、脳

脊髄液が脳神経や脊髄神経の神経鞘に沿って漏出する際には、前リンパ管通液路を流れてリンパ管に吸収されると考えられています。このように、内皮細胞に囲まれた管ではない単なる結合組織の間隙で、組織液が毛細リンパ管へと流れていきやすい経路を「脈管外通液路」としているのです。

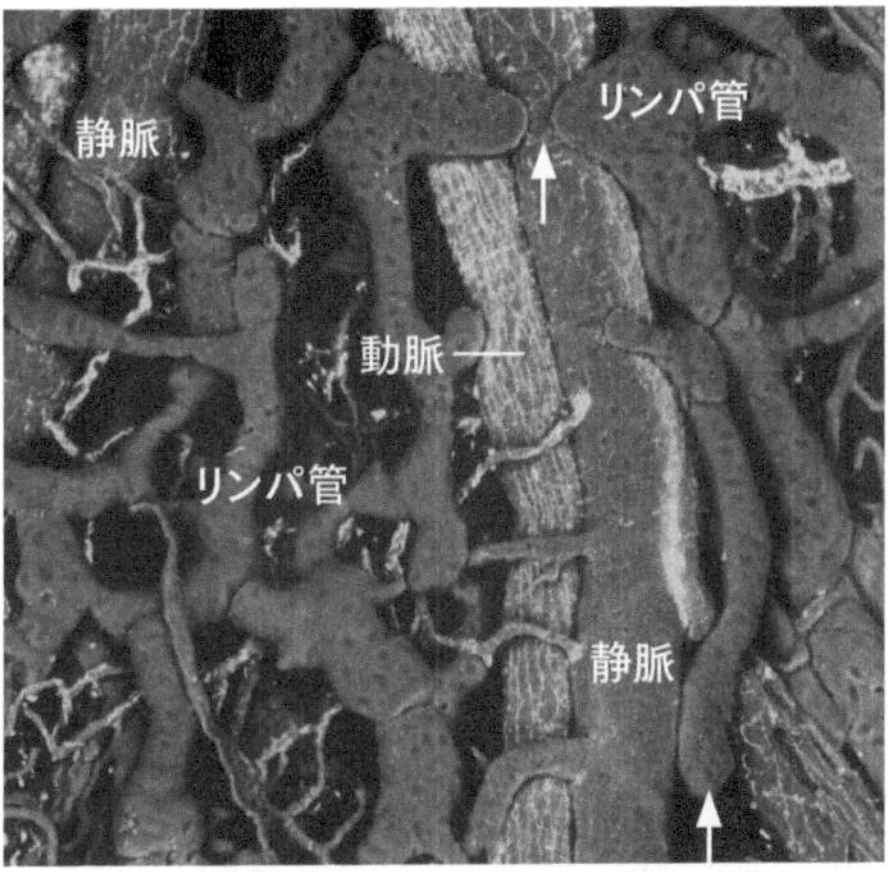

図3－11　動脈、静脈、リンパ管の樹脂鋳型SEM像（仔イヌの胃）　矢印：リンパ管の盲端部

木原らはさらに、光学顕微鏡による多くの観察から、横隔膜や壁側胸膜での中皮に見られる小孔とリンパ洞のあいだに細網線維から成る「前リンパ管通液路」があり、斑点状に散在するものを「篩状斑《しじょうはん》」と名づけています。しかし、最近の電子顕微鏡による観察によって、篩状斑では、腹膜とリンパ管とが直接連絡しており、重要な通液路になっていることが明らかとなってきました。つまり、光学顕微鏡で観察された篩状斑の部位では、リンパ管の先端部の周囲は一種の前リンパ管通液路として機能していると考えられます。

しかし、重要なことは、本来通液路として有効なのはリンパ管の多数の突起が腹腔とリンパ管とを直接つなげていることです。

3-2 どこから、どのようにして生じるのか？

リンパ管の由来は未解明

リンパ管はいつ、どこから、どのようにして生じるのでしょうか？

個体発生におけるこれらの疑問は、現在のリンパ学の主要な課題となっています。哺乳類に限らず、広く動物界における系統発生を見ても、進化の過程でリンパ管系がどのようにして現れたのかは、血管系ほど明らかになっていません。

受精卵から胎児が発生する前に、内胚葉と外胚葉、そして中胚葉からなる胚子がつくられ、これら各胚葉からさまざまな組織や器官ができ上がります。血管系（血管・血液）は、中胚葉から生まれた間葉性組織からできてきます。

少し詳しく説明すると、まず中胚葉で将来、血管内皮細胞となる未分化で幼弱な前駆細胞（血管芽細胞）が分化し、内腔ができて血管となったのちに、互いに融合して血管網を形成します

（脈管形成）。脈管形成によって生じた血管内皮細胞が、萌出したり分枝したりすることで血管の数が増え、より複雑な毛細血管網をつくることが明らかにされてきました。

では、リンパ管はどこからできてくるのでしょうか？

実は、20世紀初頭から、静脈から分化するという考えと、間葉性組織の間隙から分化するという考えによる論争が行われており、いまだ明確にされていないのです。

「リンパ管の起源」論争

19世紀の末頃、哺乳動物におけるリンパ管の系統発生が盛んに研究されました。20世紀になってからも、生体観察や組織切片標本の再構築法、色素注入法による三次元的な形態研究が精力的になされ、多くの報告があります。「リンパ管の起源」をめぐっては、基本的に二つの説が提唱されています。

一つは「発生パターンは中枢から末梢へ向かう遠心性である」とする「遠心説」で（図3－12）、大静脈の一部からリンパ管が発生し、それが伸長して全身に広がっていくというものです。

もう一つは「発生パターンは末梢から中枢へ向かう求心性である」という「求心説」で（図3－13）、各所の組織間質でリンパ管が発生し、それが連結してネットワークを形成するという考え方です。

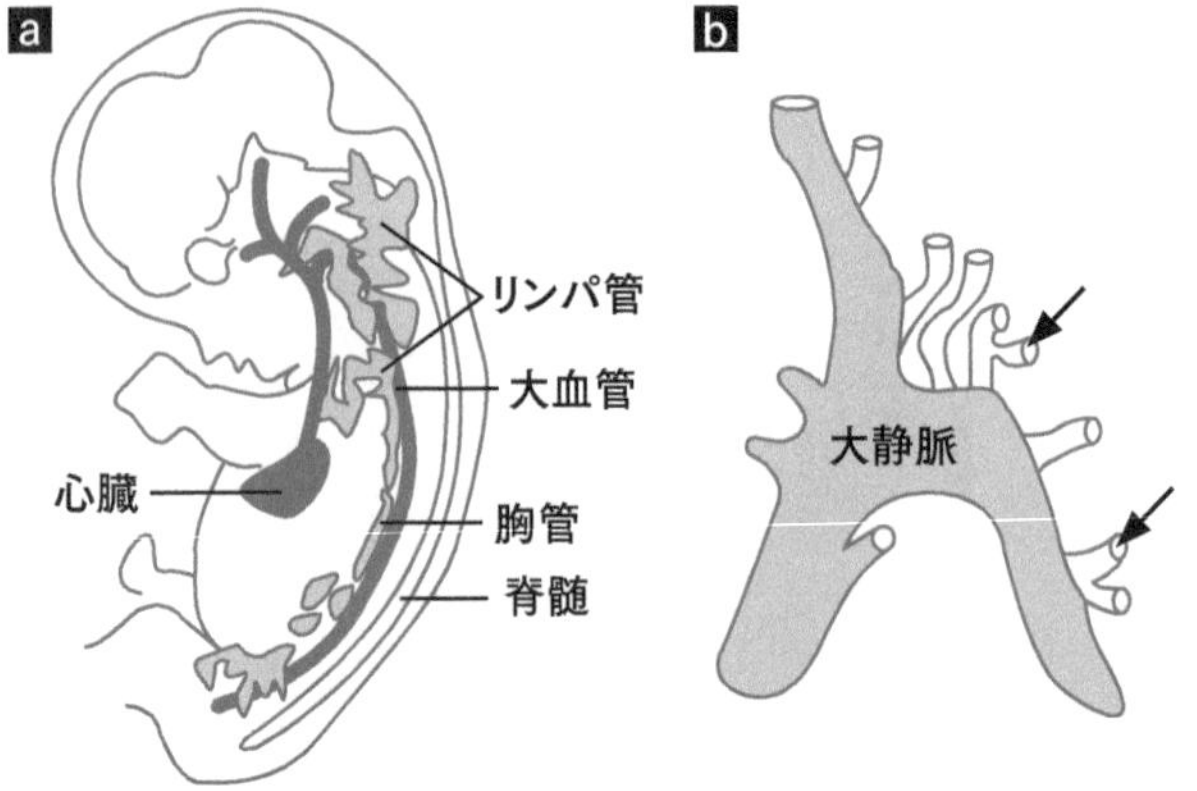

図3－12　リンパ管発生の「遠心説」の基になる2つの観察模式図
a：ヒトの2ヵ月胎児のリンパ管初期発生の原始的なリンパ嚢（Sabin、1909より模写し、転載）、b：大静脈からリンパ管が出芽（矢印）することを示す（Kampmeier、1969より模写し、転載）

20世紀初頭、フローレンス・サビンによって、リンパ管が静脈内皮の発芽によって生じ、しだいに末梢に向かって伸びていくという「遠心説」が強力に推進されました。一方、ハンチントンらは、静脈周囲の間葉性組織間隙の細胞が扁平化して小腔をつくり、形成された腔と腔が互いに連絡してリンパ管となって中枢に向かうとする「求心説」を提唱しました。ニワトリの胚子や哺乳動物の観察などに基づく説で、リンパ管と静脈との連結は二次的に生じるとしたものです。

両者の根本的な違いは、リンパ管内皮細胞が「静脈の内皮細胞から生じるのか」、あるいは「組織にある細胞が分化して生じるのか」という点にあります。さらに、これらの折中説として、リンパ管の主幹となる胸管は

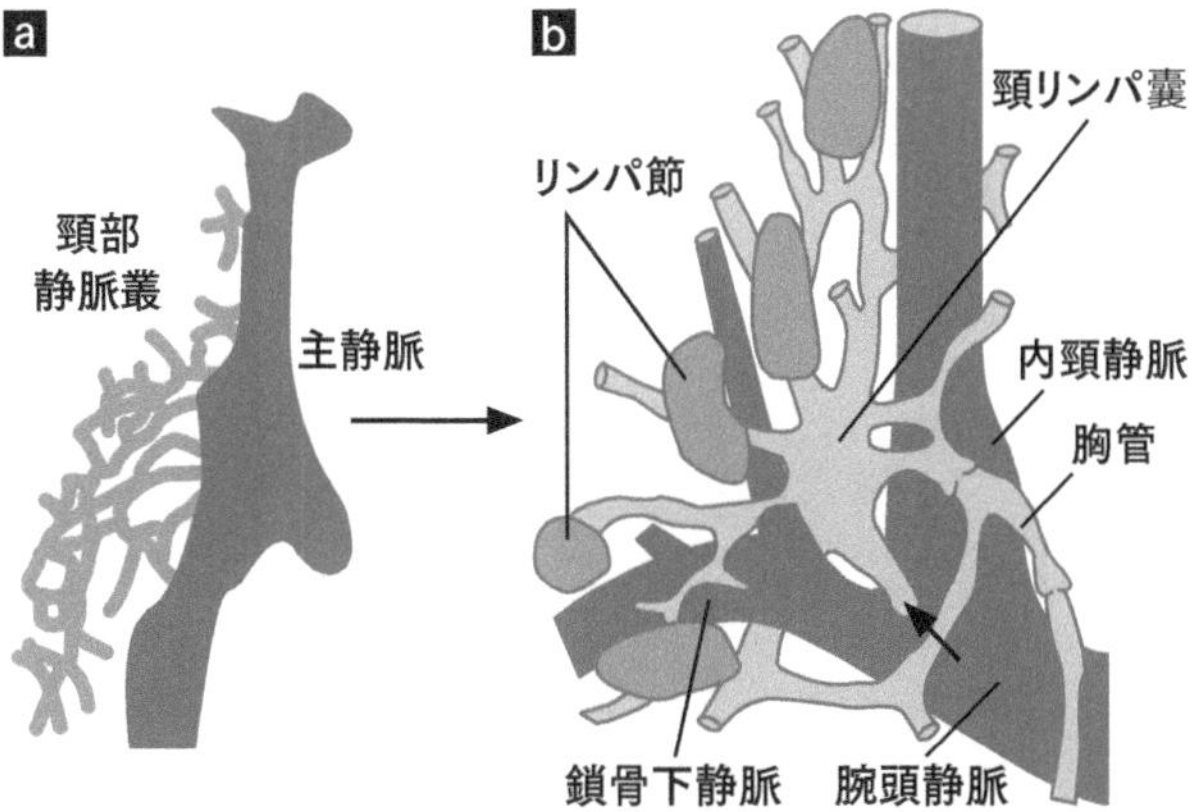

図３－13　ヒト胸管ならびに左頸リンパ囊の形成～「求心説」の基になる背側面観察模式図（Kampmeier、1931より模写し、転載） a：頸部の静脈叢、b：静脈叢周囲の間葉性組織からリンパ管（灰色）が発生して連結し、二次的に静脈と交通する（矢印）

胎時期の静脈から、他のリンパ管は組織間隙から生じるとする考え方も提唱されています。

リンパ管発生のメカニズムについては、現在は遠心説を支持する報告が多いようですが、いまだ明確ではありません。いずれにしても、ヒトにおいて最初にできるリンパ管は原始的で単純な袋状のリンパ囊であり、それがやがてリンパ管網を形成すると推測されています。

リンパ管の形成という現象を考える際に、たとえば遠心説で説明すると、胎児期のリンパ管について、静脈から発芽する「リンパ管発生」と、既存のリンパ管から新たにリンパ管が生じる「リンパ管新生」とを区別して考えることができます。前者では「静脈内皮細胞からリンパ管内皮細胞が分化して発芽し、管腔を形成する」、後者では「既存のリンパ管内皮細胞が増殖・発芽し、管腔を形成する」と考えます。

リンパ管の起源に関して、さまざまな議論がなされ、いまだ結論を得ないのはなぜでしょうか？ 最大の原因として、これまでのリンパ管研究の歴史において、血管とリンパ管を毛細管レベルで明確に区別できなかったことが挙げられます。両者を染めて区別するための特異的なマーカーがなく、有効な鑑別法が見つからなかったことが長年、リンパ管研究の進展を妨げてきました。

リンパ管の発生のしくみを議論するには、まず第一に脈管の明確な区別がなされ、毛細リンパ管を確定したうえでの観察結果が重要です。ようやく近年になって、リンパ管内皮細胞同定のための特異的マーカーが次々と見つかったことでリンパ管研究の新しい展開が可能となり、最近の「リンパ管新生」研究の熱いブームを呼び起こしているのです。

遠心説と求心説の両方を体現する魚

魚類におけるリンパ系の研究、特にリンパ管の構築に関しては、最近、リンパ管の起源・発生の根源的な問題と関連して、小型魚類ゼブラフィッシュの観察に基づく興味深い報告がなされてきています。

ゼブラフィッシュは和名をシマヒメハヤといい、インド原産の体長５㎝ほどの熱帯魚です。生活環は３ヵ月（寿命約５年）と短い世代交代期間で多産、雑食性で飼育しやすく、30年ほど前にアメリカ・オレゴン大学の遺伝学者ストレイシンガーらによって、脊椎動物の遺伝学や発生学研究のモデル実験動物として報告され、注目されました（図３－14）。脈管発生モデルとして、現在もたいへん貴重な実験動物です。

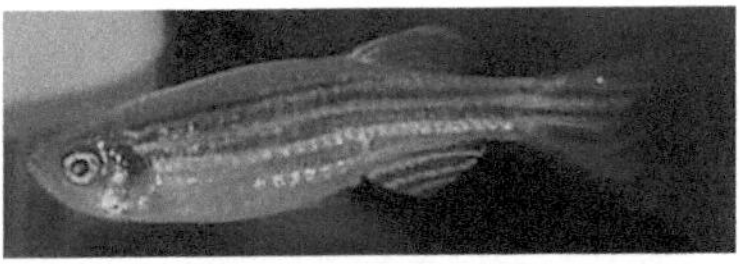

Wild type（野生型）

Albino（アルビノ型、白化）

図3－14　ゼブラフィッシュ（Zebrafish）2型
（岩手医科大学・磯貝純夫先生提供）

図３－15に、ゼブラフィッシュのリンパ管系を示します。岩手医科大学解剖学第一講座の磯貝純夫先生らの研究グループによる胸管の発生に関する詳細な観察では、リンパ管の起部では内頸静脈と鎖骨下静脈が合流する部位（静脈角）からリンパ嚢が出芽し（遠心説）、一方、元の静脈（深静脈）から分離した前駆細胞が集まって嚢胞をつくり、やがてそれらが互いに連結してリンパ管を形成しました（求心説）。

つまり、胸管の基部と遠位部とで、リンパ管への分化のメカニズムが異なるという報告がなされています。二つの異なる分化過程があるとすれば、両者をコントロー

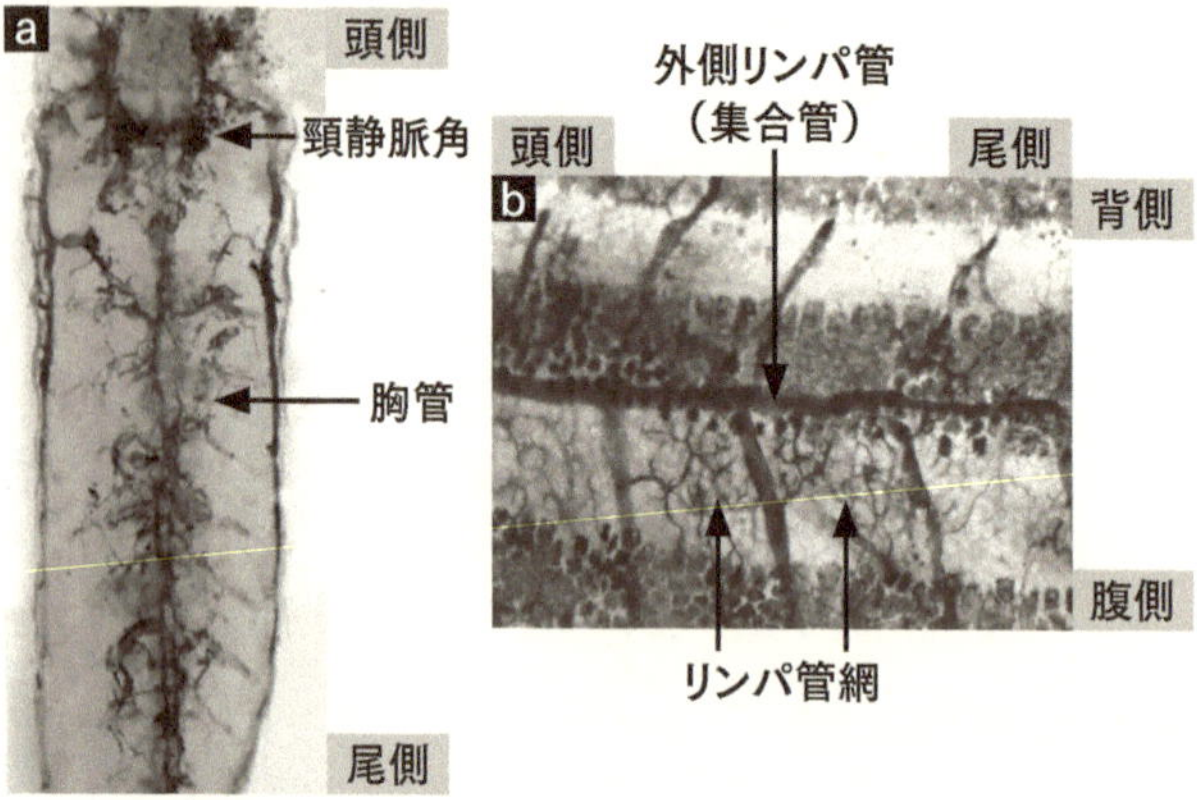

図3－15　ゼブラフィッシュの胸管（a）と表層外側リンパ管（集合管、b）
a：体壁の腹側面、b：外側リンパ系の左側面（岩手医科大学・磯貝純夫先生提供）

ルする関連分子とその分化のメカニズムはどうなっているのか、ますます謎は深まります。今後の研究の進展が大いに期待される分野です。

　また、新生児ラットの小腸壁の筋層における毛細リンパ管網の形成過程を観察すると、生後2週目に腸壁内に進入したリンパ管は、管壁のところどころで発芽し、各組織が形づくられるのに応じて、走行経路を変えながら伸びていきます。

　一般に、血管を含む多くの臓器（生殖器や神経系を除く）における細胞増殖が成長時期にある胎児・新生児では成体より活発であるように、リンパ管内皮細胞の増殖も、新生児のほうが成体より活発です。その後、生後4週目頃からさまざまな部位でリンパ管の内皮細胞が管腔内に突き出して陥入し、やがて管腔が枝分かれ

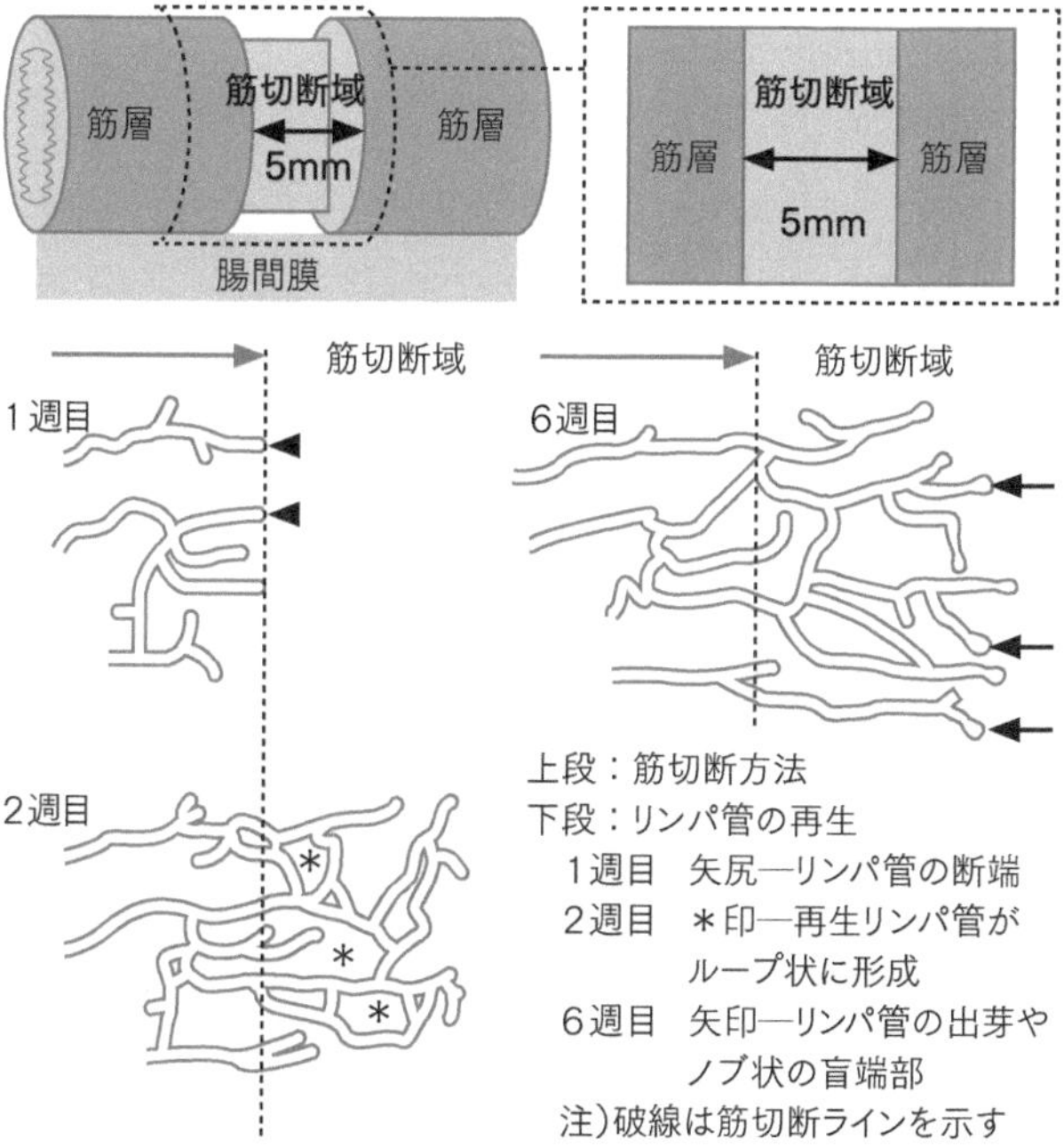

上段：筋切断方法
下段：リンパ管の再生
1週目　矢尻―リンパ管の断端
2週目　＊印―再生リンパ管がループ状に形成
6週目　矢印―リンパ管の出芽やノブ状の盲端部
注）破線は筋切断ラインを示す

図3－16　腸管壁筋切断後のリンパ管の再生実験

して網目状にリンパ管のつながりが形成されていきます。こうして、いわゆるリンパ管網ができあがるのです。

また、腸壁筋層の一部を切除したモデル実験では、創傷部の切断面で術後1週目には血管網が出現し、2週目では細かいリンパ管の再生像が認められます。術後6週目には数珠状につながるリンパ管網も多く見られています（図3－16）。これら再生リンパ管は、既存のリンパ管の発芽によって形成されることが明らかになりました。

リンパ管発生・新生の謎

ヒトのリンパ系の分化は、すでに胎児期の6ヵ月頃に、中心リンパ系に始まり、最表層のリンパ管形成が起こって、リンパ管の配置ができているといわれています。リンパ管は、出産直前には表皮直下の真皮領域に遅れて出現します。真皮のリンパ管は胎児期には密な網を形成しますが、皮膚におけるリンパ管の密度は、生後の状態に比べてまばらとなります。

胎生後期に入ると、毛細リンパ管は内皮が折れ込んだり突出したりして機能的に拡張します。出産が近くなると拡張した毛細リンパ管は収容能力が最大となるため、リンパ管内のリンパが増加します。

ヒトの胎児期の弁の形成過程は、遠心性とされています。出産後、新生児においても弁の形成はつづくため、皮下のリンパ管は、成体より胎児や新生児のほうが水平方向へのリンパの流れが大きくなっています。つまり、弁の形成によって、リンパの流れが遅滞することになるわけです。

近年のリンパ管発生・新生の研究は、リンパ管内皮細胞の発生と分化、形態形成、そして機能発現などを調整する分子マーカーが次々と同定され、大きく進展してきています。

先に触れたように、「リンパ管の形成」という現象が、たとえば遠心説に従うとしても、上述したように胎児期の発生時に静脈から発芽する「リンパ管発生」と、既存のリンパ管から新生する「リンパ管新生」に区別して考える必要があります。

最近の研究においては、いろいろな血球に分化可能な造血幹細胞からリンパ管内皮細胞が分化するという仮説に基づいて、リンパ管内皮幹細胞を求めて興味深い分子機構の解析などの研究の展開がなされてきています。

将来、リンパ管新生をコントロールすることができれば、さまざまな生体の組織形成機構と病態形成メカニズムの解明に新たな局面が展開されます。それにより、今後リンパ浮腫組織におけるリンパ排出を亢進するための新しいリンパ管再生療法が期待されます。

また、リンパ管を経由してのがんのリンパ節転移を防止するため、リンパ管新生の抑制、すなわち抗リンパ管抗体（抗ＶＥＧＦＲ－中和抗体）療法の開発が期待されます。

さらに、腸管腫瘍周辺のリンパ管内皮細胞の放射線に対する抵抗性が、血管のそれより強いことが明らかにされてきていることから、腫瘍周辺組織のリンパ管内皮細胞増殖の抑制が注目され、今後のがん転移防止としての治療への展開が期待されます。

第4章

全身に広がる
リンパの支流たち

4-1 リンパはからだのどこに多い？

リンパ管は血管より臓器の深いところにある

第1章で述べたように、リンパはそもそも、血液成分が血管から組織間隙に漏れ出て組織液となり、リンパ管に吸収されたものです。古くから「血管の分布していない組織にはリンパ管は存在しない」（木原、1966）といわれるほど、リンパ管は血管と密接な関係にあります。

それでは両者は、さまざまな臓器・組織のどの部位に、どのように分布しているのでしょうか？　臓器内の分布におけるリンパ管と血管の相互の位置関係や発達の程度は、臓器によって異なっていることが知られています（臓器特異性がある、といいます）。両者の相互関係は、基本的に次の三つに大別されます（図4-1）。

①毛細リンパ管のほうが、毛細血管より臓器の内側の深いところにある（皮膚や消化管壁、腸絨毛など）――空気に直接触れている皮膚や、食べ物などが通る消化管等では、体表や腹腔に面して他に何も接していないため、いわゆる「自由表面をもつ臓器」と定義されます。これらの臓器

では物質の交換や代謝が盛んなので、毛細血管網がよく発達しており、同時に毛細リンパ管網も血管網の深層に発達しています。

②毛細リンパ管のほうが、毛細血管より離れて、臓器周辺の小葉間結合組織にある（唾液腺や肝臓、膵臓など）――腺組織は表面を被膜で覆われ、被膜を構成する結合組織が組織内に進入して小葉間結合組織を形成し、組織全体は小さな領域（小葉）に区分されています。このような腺組織の構築においては、毛細血管は小葉中の腺組織の近くに発達していますが、毛細リンパ管はそれより離れた小葉間結合組織に存在します。

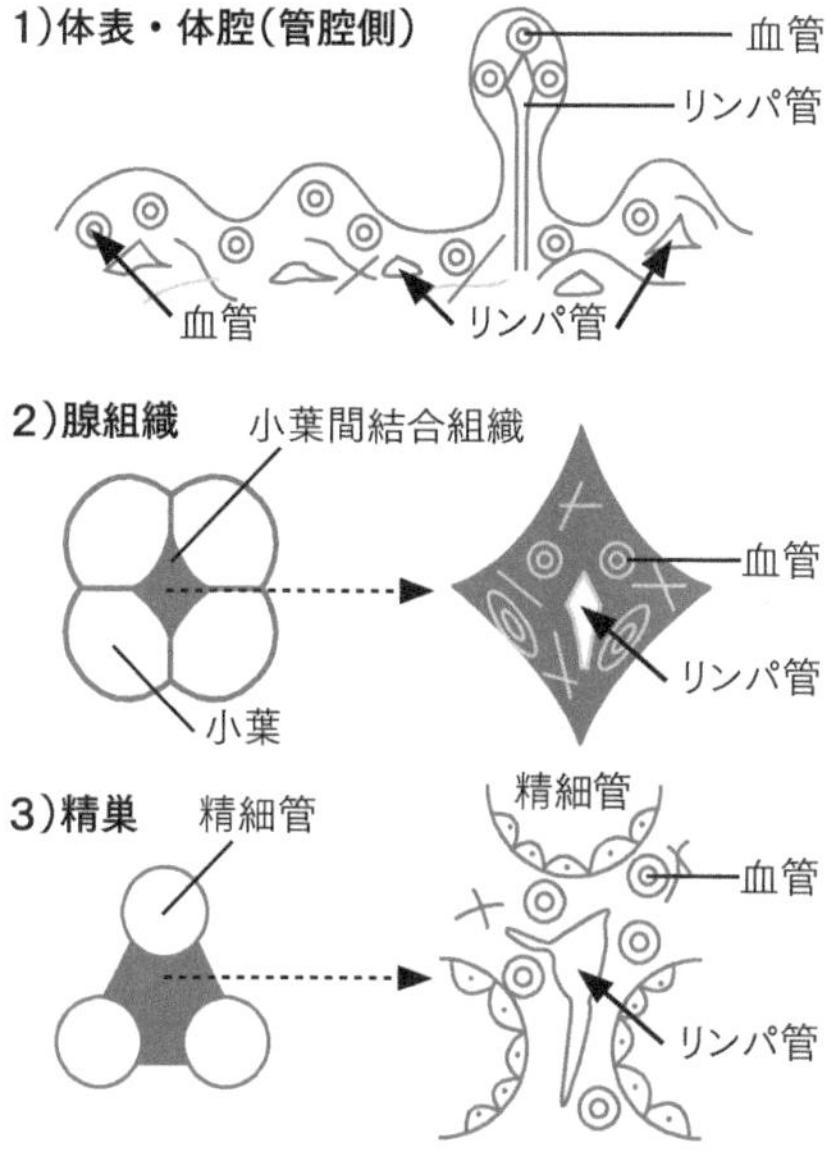

図4－1　組織内リンパ管分布の臓器特異性の模式図　1)体表・体腔など自由表面をもつ臓器、2)腺組織、3)精巣。他にも卵巣・子宮など(生殖器)における血管との位置関係を示す

③精巣の精細管や卵巣の卵胞・黄体などに対して、毛細血管は接しているが、毛細リ

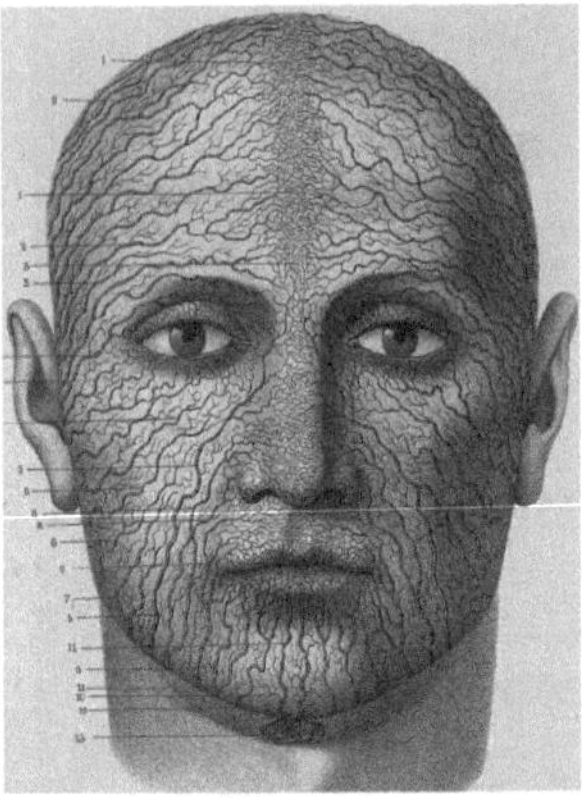

図4－2　顎顔面のリンパ管分布
図中の細かな番号は各部位に分布するリンパ管のグループ分けを示す（Sappey, Ph.C.、1874より引用）

ンパ管はそれらの組織構造よりもっと離れたところにある

図4－1に示す組織内リンパ管分布の臓器特異性の模式図では、リンパ管と血管の分布状況を比較するため、血管は円形、リンパ管は三角形・菱形として描かれています。85ページ図3－4aに示したように、リンパ管の管壁は薄いため、リンパ流によってつねに拡張と収縮を繰り返し、不規則な形をしています。

皮膚のリンパ流は体幹に向かう

リンパ管が多い場所として、体表を覆う皮膚があります。ほとんどすべての部位の皮膚でリンパ管網はよく発達しますが、部位によって分布状況は異なります。皮膚のリンパ管分布は、動きの活発な、たとえば顔面や口唇（図4－2）、外陰部などに密にあり、背部などは比較的まばらです。皮膚を走るリンパ管は、皮膚組織中の余分な水分や老廃物の回収をはじめ、感染など炎症に伴う免疫反応でも重要な役割を果たしています。

　体の表面を覆う皮膚組織は、基本的に表層から「表皮」「真皮」「皮下組織」の3層から成っていますが、各層の厚さは部位によって異なります。図４－３は、体表面から見た皮膚のリンパ管と血管の顕微鏡観察像です。図４－４には、皮膚のリンパ管の分布状況を組織層断面の模式図として示しました。

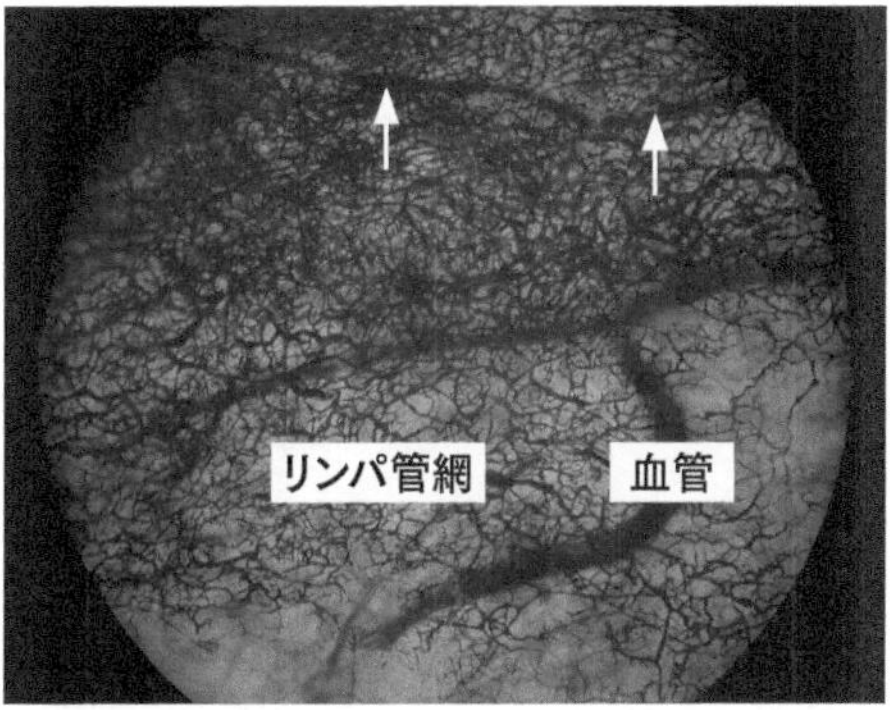

図４－３　正常皮膚のリンパ管と血管　皮膚の伸展標本の顕微鏡観察像（矢印：集合リンパ管）（テキサス大学・須網博夫先生提供）

　表皮にはリンパ管はなく、表皮直下から弁のない直径20～75μmの毛細リンパ管が起こり、真皮内で毛細リンパ管は弁を有する直径75～１５０μmのリンパ管（前集合リンパ管）に集合して、リンパを注ぎます。前集合リンパ管は、真皮深部から下層の脂肪に富む皮下組織内で直径１５０～３５０μmの太い集合リンパ管へと移行します。集合リンパ管が、皮下に限らず脂肪組織内を走ることは、脂肪の柔軟な組織と熱伝導性の低さが、リンパ管を外圧から保護し、リンパの保温に役立っているとも考えられます。

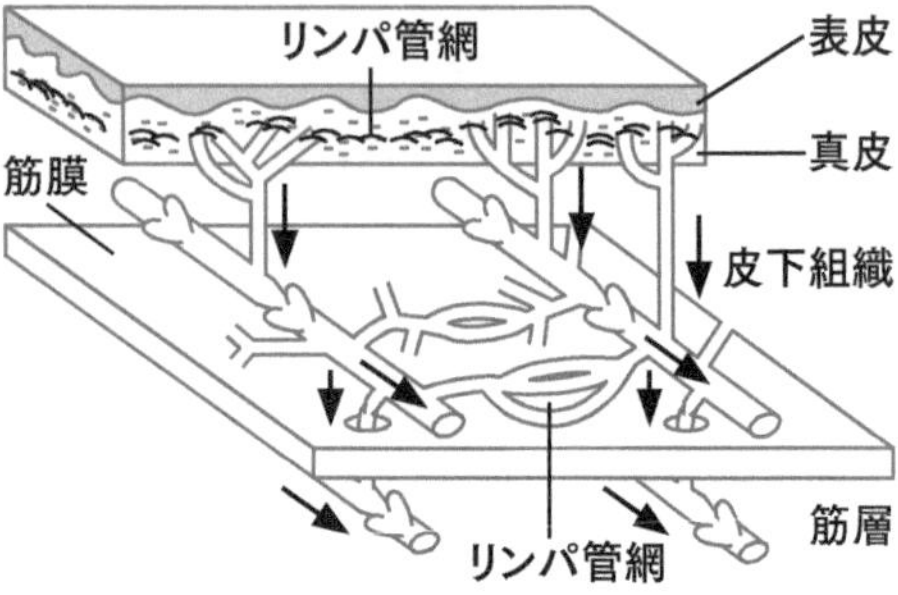

図4－4　皮膚のリンパ管分布の立体模式図　表皮にはリンパ管はないが、真皮や皮下組織にリンパ管網が発達している（矢印はリンパの流れる方向を示す）

ちなみに、ウサギやイヌ、ネコなどの皮膚はヒトの皮膚とは少し異なり、皮膚の上層（表皮・真皮）と下層の筋膜との結合がゆるやかで少し隙間があり、グニョグニョと容易に動くためつまみあげることができます。カエルなどでは、皮下は広がったリンパ洞（嚢）になっています。

集合リンパ管は深筋膜をはさんで、浅い部位と深い部位の2ヵ所を独立して走っています。その特徴は、筋ポンプによる受動的な動きのみではなく、管の外周に平滑筋をもっていて自動的に収縮運動を行い、リンパを体軸に近い方向（体幹方向）に送っていることです。集合リンパ管は体幹に向かって流れる過程で、下層の深リンパ管と交通して付近のリンパ節につながり、リンパを流します。

なお、強い紫外線を浴びてひどい日焼けをした場合に、皮膚が炎症を起こし、表皮の肥厚や真皮の浮腫などが起こるのは、血管やリンパ管の拡張によって組織内間隙の圧力が増大し、リンパ管の吸収機能が低下するからです。四肢のリンパ浮腫は、主に深筋膜より上の浅リンパ管が障害されて生じるものと考えられますが、深リンパ管の関与も推測されています。

舌がんが転移しやすいのはなぜか？

皮膚以外でリンパ管網がよく発達し、リンパの流れが多い部位には、舌や咽頭、喉頭などがあります（図4－5）。これらは、消化や呼吸などに関連して、咀嚼や嚥下、発声など、つねに動きの活発な部位です。つまり、リンパ管は動きの活発な部位によく発達しています。

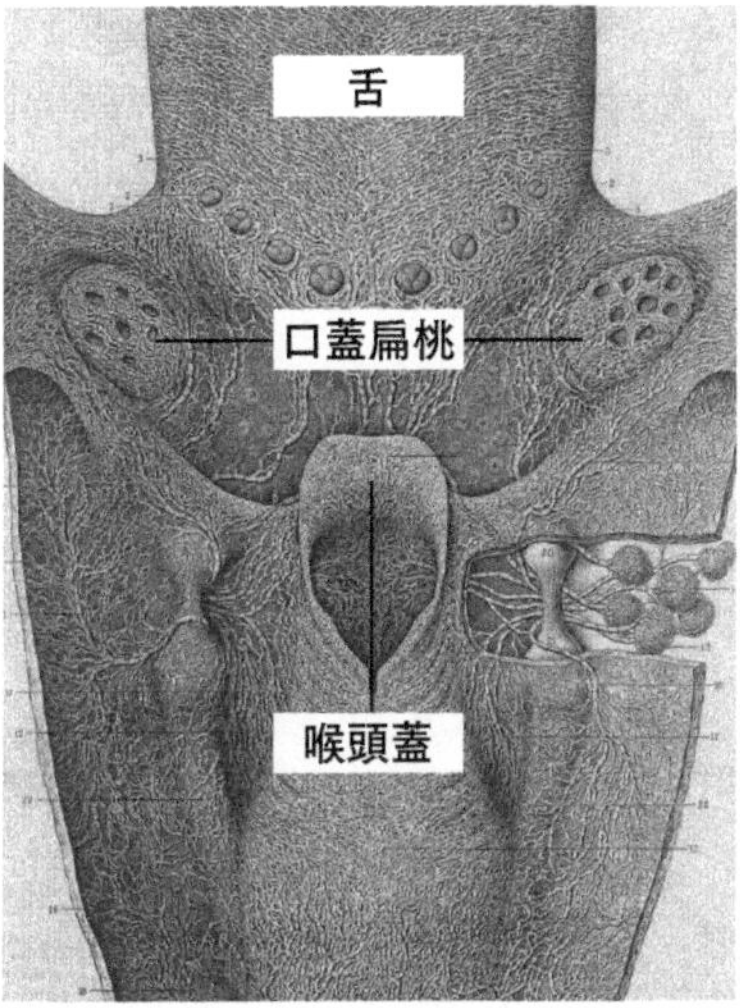

図4－5　口腔・咽頭と喉頭のリンパ管分布
（Sappey, Ph.C.、1874より引用）

ヒトの舌におけるリンパ管系は、舌尖や舌体部、および中央部から起こり、周囲にたくさんあるリンパ節（顎下リンパ節やオトガイ下リンパ節、一部上深頸リンパ節）に注ぎ、舌根部のものは上深頸リンパ節に注ぐといわれています。

舌の内部を走る微細リンパ管は、粘膜固有層や筋層に存在しますが、上面（背面）より下面（腹面）に多く、また、舌体腹部や舌尖、外側部によく発達しています。このことは、舌が消化運動としての咀嚼や嚥下のみならず、ことばを話す際の発声や構音に深く関係していることと関連しています。

舌のリンパ管系では、舌の中央で左右に隔てる仕切り（舌中隔）を介して、反対側に向かう交差路があります。ネコやイヌを用いた粘膜下や舌筋内への墨注入実験でも、高い頻度でリンパ管の交差が見られることが報告されています。舌がんなどでは、腫瘍組織の左右反対側へのがん転移が起こる可能性も考えられ、このことを配慮してがんの転移経路を考察することが重要です。

口腔内の悪性腫瘍のなかで発生率の高い舌がんは、舌周辺に所属するリンパ節への転移を起こしやすいことが知られています。舌内では、発達したリンパ管網によってリンパ流が活発なことに加え、咀嚼や発語などの運動性が高いこともあいまって、がん細胞の移動が容易であるためと考えられます。

咽頭は、食物の通路（口腔→食道）と呼吸気の通路（鼻腔→喉頭）の交差点であり、多くのリンパ管があります。咽頭から気管に向かう空気の取り入れ口である喉頭のリンパ管網は、声帯ヒダを境として喉頭上部（喉頭室、前庭ヒダ）と喉頭下部に分かれ、喉頭上部ではリンパ管網が発達しています。喉頭下部の後部のリンパ管網は声帯ヒダの後ろから上行し、喉頭上部に連絡して

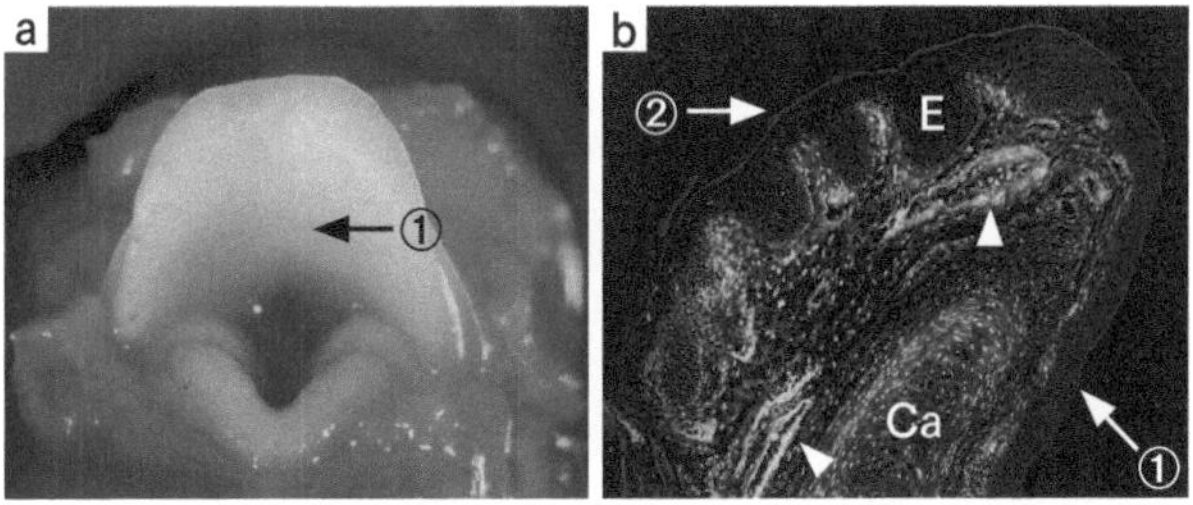

図4－6　ラット喉頭蓋(a)と、その5'-Nase 組織化学SEM像(b)
矢尻：リンパ管、矢印①：喉頭蓋下方気管側、②：喉頭蓋前方(上縁)、E：粘膜上皮、Ca：軟骨

いるとされています。

物を飲み込む際に、誤って前方の気管に入らないようフタの役目を果たしていることから「喉頭蓋《こうとうがい》」とよばれる部位では、図4－6に示すように前方（上縁）（②）の舌根に向かう側の粘膜下のほうが、下方の気管側（①）に比べてリンパ管が豊富です。喉頭蓋の上縁が気管側より物に対する接触が多く、動きも活発なため、リンパ管網がよく発達しているものと考えられます。

気管の前壁と外側壁の集合リンパ管は、左右の気管傍リンパ節に注ぎます。気管粘膜のリンパ管は浅層（粘膜固有層）と深層（粘膜下層）に見られます。組織構成上、気管の軟骨のない膜性の壁部では管の上下にさえぎるものがないので、リンパ管は食道に接する外膜部を縦走していますが、軟骨のある壁部では斜走、あるいは横走しています。

コラム 器官と臓器、どう違う?

からだの中で一定の形と働きを備えた部位を器官といい、生活機能の一つの部門を営むものを器官系といいます。骨や筋、胃腸、脳、脈管(リンパ管・血管)などは「器官」であり、それに対応する骨格系、筋系、消化器系、神経系、脈管系(循環系)などは器官系です。

器官のことを「臓器」とよぶこともありますが、器官と臓器は必ずしも同義ではありません。臓器はいわゆる内臓に属する器官を指し、胃や腸は器官といっても臓器といってもかまいませんが、骨や筋は臓器とはよびません。

臓器の系統に沿って解剖を行う系統解剖学では、胸腔や腹腔にあって消化・呼吸器系や泌尿・生殖器系に属する器官系を「内臓系」として取り扱います。内臓を構成する諸器官の形や機能はさまざまですが、中空の管あるいは嚢の形をしている「中空性器官」(胃や腸など)と、内部に組織が充実している「実質性器官」(肝臓や腎臓など)とに大別されます。

リンパ管は血管と同様、体壁(皮膚・筋)にも内臓にも分布する中空の管ですが、生体の恒常性の維持や生体防御に関してより能動的な役割を担っている点で、泌尿・生殖器の尿管や精管などとは明らかに区別されます。

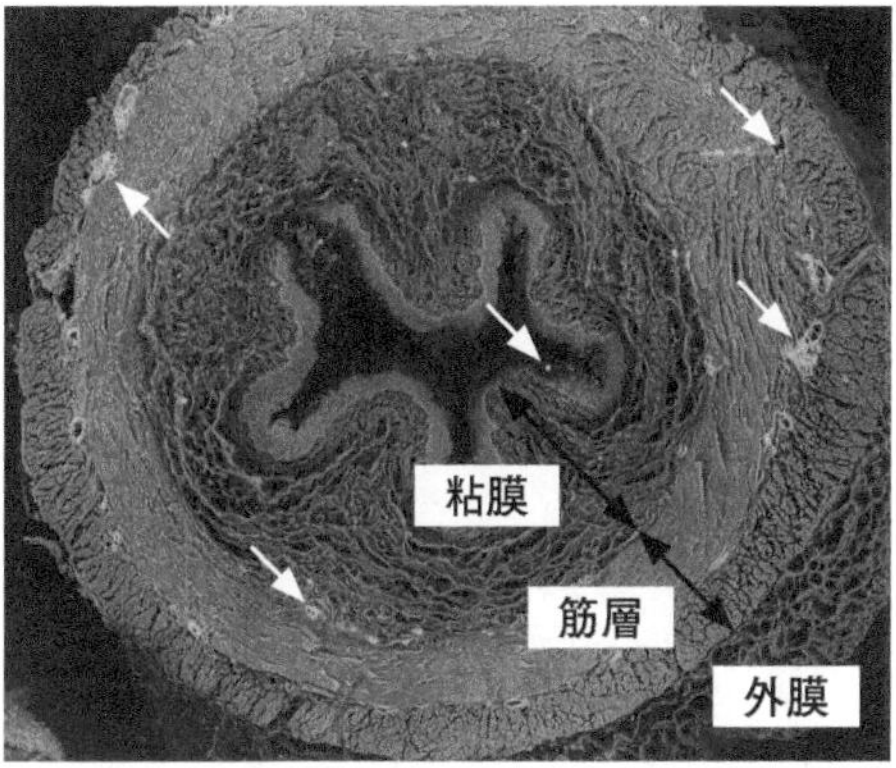

図4－7　食道の横断面の組織化学SEM像　食道粘膜と筋層にリンパ管（矢印：白い部分）が見られる

胃がんより食道がんのほうが転移しやすい

中空性器官である消化管などでは、その管壁は内腔から「粘膜」「筋層」「漿膜（外膜）」の順で3層構造になっています。この層構造におけるリンパ管の分布状況は、がんの浸潤とリンパ行性転移との関係を知るうえできわめて重要です。

食道は、頸部・胸部（縦隔部）・腹部と3領域にまたがる約25㎝の長さの臓器で、リンパの流れは、これら各領域のリンパ節と関連しています。食道は、肛門の粘膜とともに胃や腸など他の消化管の粘膜とは異なり、重層扁平上皮で覆われており、粘膜固有層にもリンパ管が豊富です（図4－7）。

食道がんの手術の際に、がん転移の見られる（あるいはその可能性のある）リンパ節をどこまで切除（郭清）するかは大きな問題です。臨床医学的にも、食道粘膜がんのリンパ管侵襲あるいはリンパ節転移の割合は、胃がんや大腸がんにおける粘膜下層がんのそれに匹敵するといわれています。

胃がんの場合では、胃粘膜の上層（粘膜固有層表層）にはリンパ管がきわめて少ないため、内腔側の粘膜の浅層で発生したがんは、管壁の横方向、つまり粘膜の深層（粘膜下層）に向かいます。リンパ管の多い筋層や外側の漿膜へと浸潤が進むにつれて、リンパ行性の転移が高まることになります。

ところが食道がんでは、がんの浸潤が浅いものでもリンパ行性に転移しやすい特徴があります。なぜでしょうか?

その答えは、ヒトの食道におけるリンパの流れが、縦方向では横方向の6倍も多く流れることによるといわれています。食道（特に下部）では、粘膜の浅層（粘膜固有層）と深層（粘膜下層）のあいだにある平滑筋層（粘膜筋板）がバリアとして発達しているため、粘膜固有層内のリンパ管は長軸方向（縦）に流れるリンパに乗って、気管や肺などの周辺組織に転移しやすいものと考えられています。

胃のリンパ流は、左胃動脈リンパ系、肝動脈リンパ系、脾動脈リンパ系を介して、腹部大動脈周囲の腹腔リンパ節群にいたります。胃壁内のリンパ管は、色素や墨、水銀などの注入実験により、粘膜筋板を境として、そのすぐ上の粘膜固有層と粘膜下層に多くのリンパ管が認められています。粘膜固有層の表層にはリンパ管はきわめて少なく、胃腺間や胃腺下にリンパ管網が存在します。

また、胃壁では筋層間や漿膜にリンパ管がよく発達しており、近年の走査型電子顕微鏡による三次元的観察でも、これらのリンパ管網が確認されています（図４－８）。特に、胃の収縮・拡張に働く内・中・外の３層からなる筋層には、平滑筋の走行に伴ったリンパ管網が見られます。

胃におけるリンパ管分布については、食道に近い胃底と胃の固有部分である胃体とでは目立った違いはありません。しかし、食道からつづく胃の入り口（噴門部）と胃から十二指腸に抜ける出口（幽門部）では、管壁の組織構築も異なり、消化食物の移動などによる運動も活発であるため、いずれも他の部位と比べてリンパ管網が際立って発達しています。

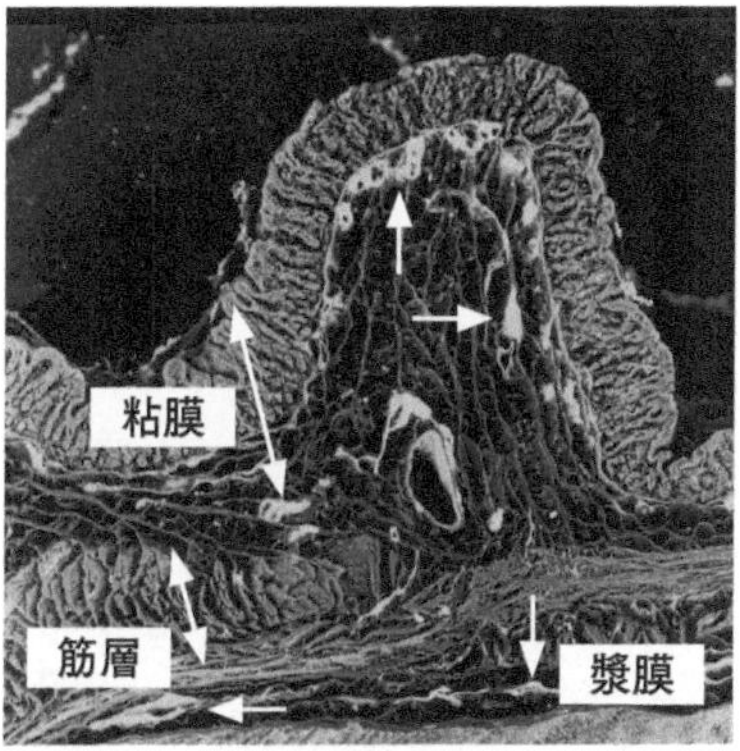

図４－８　サルの胃壁粘膜ヒダの組織化学SEM像　リンパ管：酵素5'-Nase反応による白い像（矢印）

小腸を守るリンパ管

小腸には、消化物を効率よく吸収するため、管腔での吸収面積を広くする「腸絨毛」という絨毯の毛のような微細なヒダ構造があり、消化された

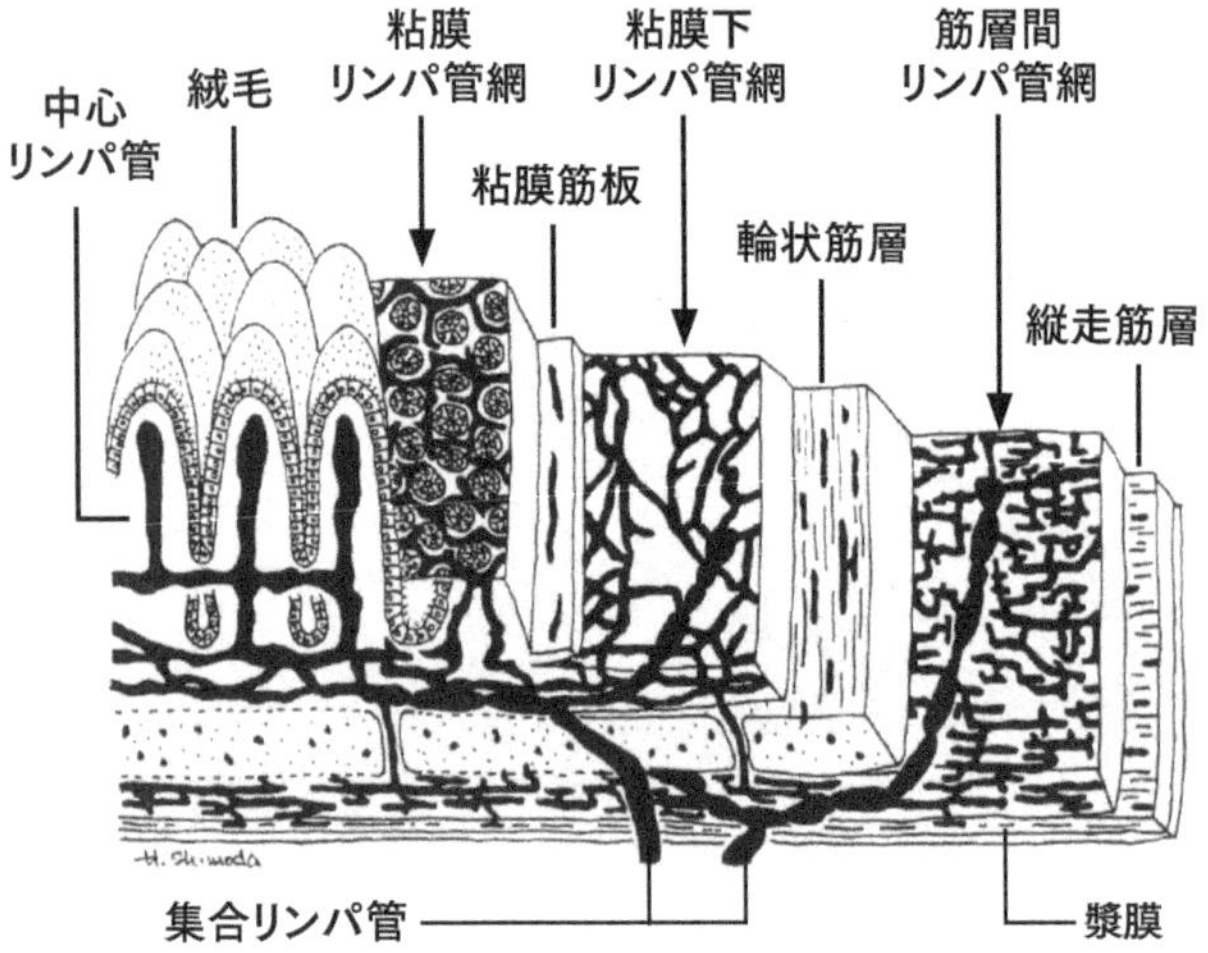

図4－9　サルの小腸壁のリンパ管分布の模式図（下田ら、リンパ学、1996）

栄養や水分を吸収しています。

腸絨毛における毛細血管と毛細リンパ管は、腸上皮細胞直下に毛細血管網があり、その中心部に取り囲まれるようにして中心リンパ管（旧名：中心乳び管）とよばれる起始リンパ管（いわゆる毛細リンパ管）が存在します。中心リンパ管に沿って平滑筋細胞が走行し、同時に副交感神経も分布しており、リンパの吸収と運搬を調節していることが報告されています。

中心リンパ管は、絨毛の基部にあるリンパ洞につながり、ついで粘膜筋板を貫いて粘膜下層の集合リンパ管網に注ぎます。図4－9は、筆者らの調べたサルの小腸壁のリンパ管分布の模式図です。粘膜（図の左側）では腸絨毛の比較的幅広い中心リンパ管の発達と腸腺周囲の細いリンパ管が特徴的です。一方、粘膜下ではリンパ管網はまばらで、筋層（図の右側）では走行の異なる密なリンパ管網が分布していることがわかります。

図４－10は、小腸（回腸）と大腸（盲腸）の移行部のリンパ管分布を調べたものですが、図の上方の回腸側のほうが下方の盲腸側よりリンパ管の分布が多いことは明らかです。小腸は大腸と異なり、消化物質とともに異物（病原菌やウイルスなど、外部からの抗原）にも多くさらされます。粘膜の絨毛にある血管網では糖やタンパクが、血管網に囲まれて中にある中心リンパ管には脂質が、それぞれ活発に吸収されるため、リンパ管やリンパ組織（集合リンパ小節やリンパ洞）が大腸粘膜と比べてよく発達しているのです。

泌尿器系の尿管や膀胱の壁のリンパ管分布も、消化管などと同様、中空性器官の管壁の基本構造どおり、管腔に対して毛細リンパ管はつねに毛細血管より深層に見られます。

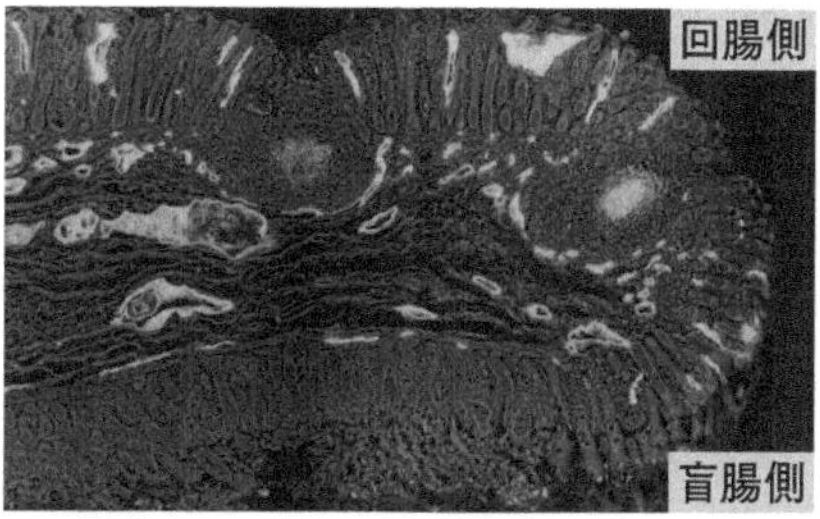

図４－10　サルの回腸と盲腸の移行部のリンパ管分布　粘膜のリンパ管は回腸側に多い。リンパ管：白い像

4-2 薄い膜組織もリンパは流れる

薄膜を流れる支流たち

からだの内部には、性質の異なる2種類の腔所があります。

一つは、頭の中にある頭蓋腔と脊柱の中にある脊柱管ですが、脳や脊髄にはリンパ管は存在しません。

もう一つが、胴の中にある体腔（胸腔と腹腔）で、内臓を収めています。これらの腔を囲む壁の内面は、臓器の表面を覆うのと同じ漿膜で裏打ちされています。漿膜は、心臓では心膜、肺では胸膜、腹腔の臓器では腹膜とよばれます。

腹膜は、そのまま連続して腹腔内にある腸（小腸と大腸の一部）を包んでいます（臓側腹膜とよびます）。腹腔に突出した2枚の臓側腹膜で構成されているのが間膜であり、その中を血管やリンパ管、神経が走っています。代表的な間膜が腸間膜で、腹腔内にある腸は腸間膜によって支えられていることで、可動性をもっています（図4-11）。

腹腔内で腸を支える薄い腸間膜を腸から切り離して引き延ばし、大きいスライドガラスに張りつけて、筆者が開発したリンパ管の特異的な酵素染色を施すと、盲端からなる毛細リンパ管の起始部と、血管網より太いリンパ管網がよく観察できます。図４－12と図４－13に示すこの観察法は、特異的染色法を用いて初めてリンパ管の微細分布の光学顕微鏡像とＳＥＭ三次元像をとらえたものです。約１㎜程度の薄い腸間膜に、これほどたくさんのリンパ管網が分布していることに驚きますが、これらは腸管壁におけるリンパの吸収・調節に重要な役割を果たしています。

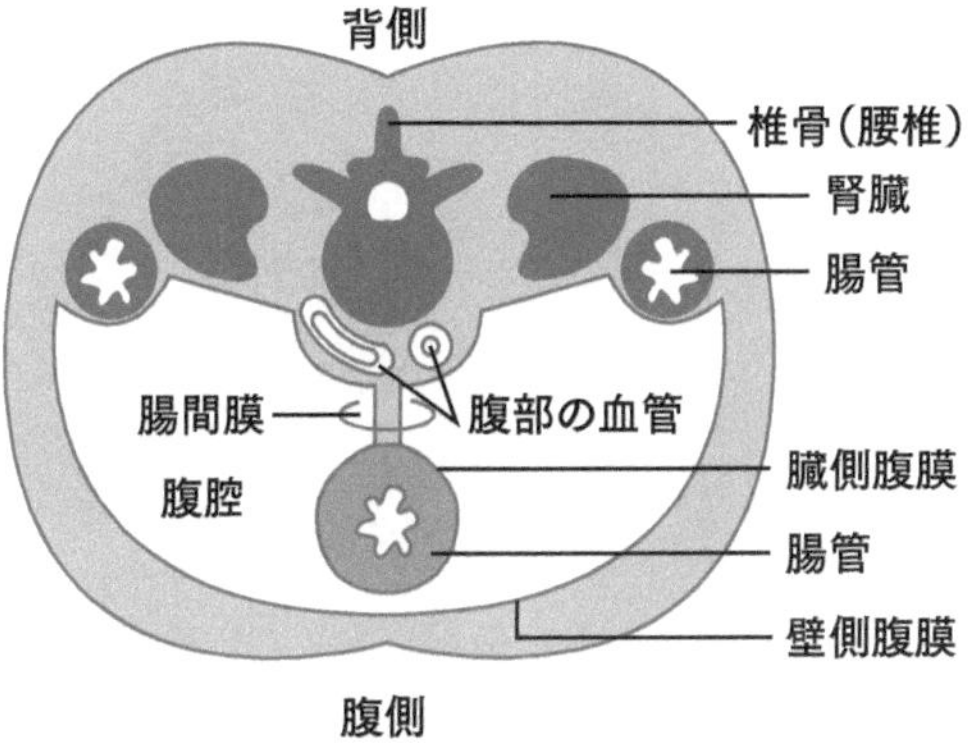

図４－11　腹部の横断面の模式図　腸間膜は２枚の腹膜から成り、腹腔内の腸を固定している

図４－12ｂに模式的に示されている〝リンパ島〟は、筆者による造語ですが、毛細リンパ管網と離れて島状に点在するリンパ管を指しています。この〝リンパ島〟が、やがてつながってリンパ管網を形成するものとすれば、94ページで述べた「リンパ管はどこから生まれてくるか？」という古くて新しい疑問を解く一つのヒントになるかもしれません。

もし、組織間質の結合組織からリンパ管ができて

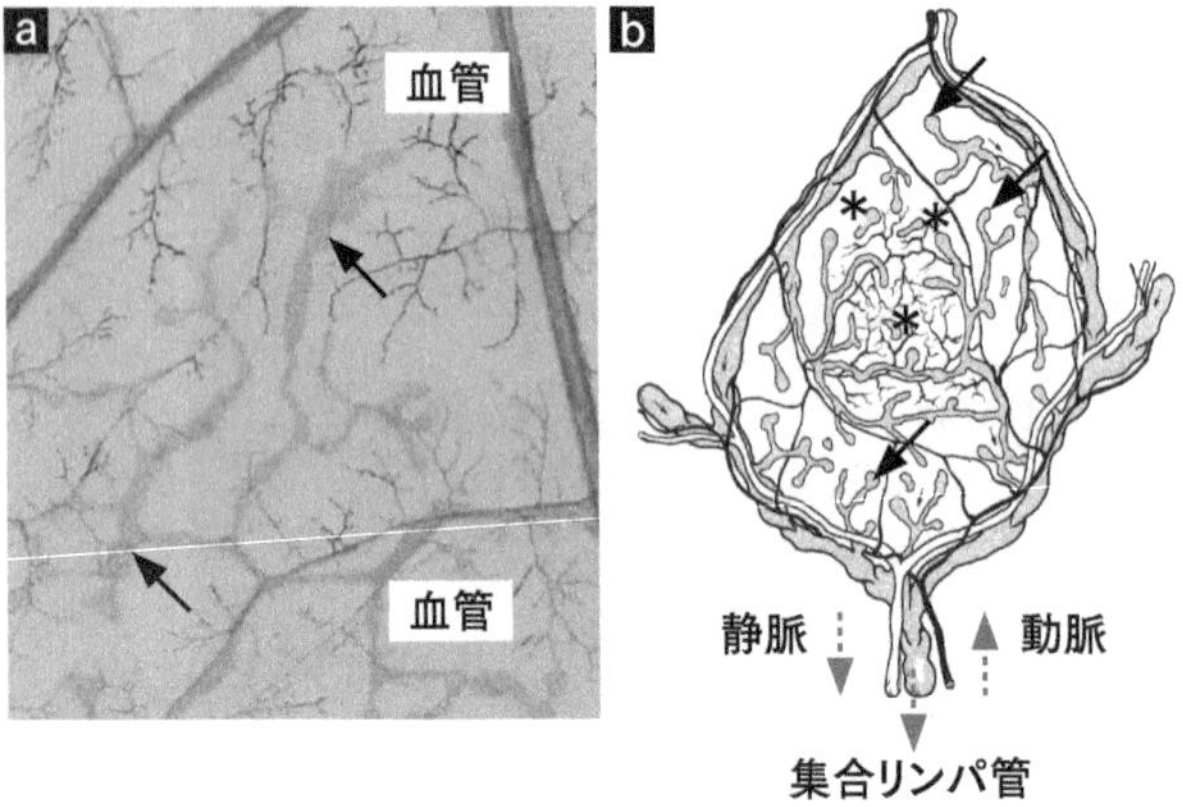

図4－12　腸間膜リンパ管の染色像(a)と、それに基づく模式図(b)
a：リンパ管(矢印)、b：起始リンパ管(矢印)、リンパ島(＊)

くるとする「求心説」の初期段階を示唆しているものとすればたいへん興味深いのですが、あくまで推測であり、現段階では何を示しているのか不明です。今後は、このような〝リンパ島〟像に注目したリンパ管網の形成の過程の詳細について、さらに継続した観察が必要です。

〝腹腔のおまわりさん〟

胃の下方の湾曲部で壁側腹膜がヒダ状に折り返されて腹腔内を覆う、薄いエプロン状にぶら下がった間膜を「大網《だいもう》」とよびます。大網は、結腸の一部と小腸を覆っており、特殊な機能をもつリンパ性組織（乳斑、ミルキースポット）が発達しています。腹膜の炎症時には、腹腔内に免疫担当細胞であるマクロファージを動員し、種々の抗体を産生して炎症を抑制します。腹腔内の生体防御のために働いていることから、〝腹腔のおまわりさん〟ともよばれます。

人体の膜といえば、胸腔と腹腔を仕切るようによく発達した筋性の「横隔膜」があります。横隔膜は哺乳類に特有の構造で、鳥類ではあまり発達していません。腹腔内の滲出液である腹水やその中に含まれる異物などは、横隔膜の腹腔側表面を覆う中皮層の直下にある毛細リンパ管に速やかに吸収されます。

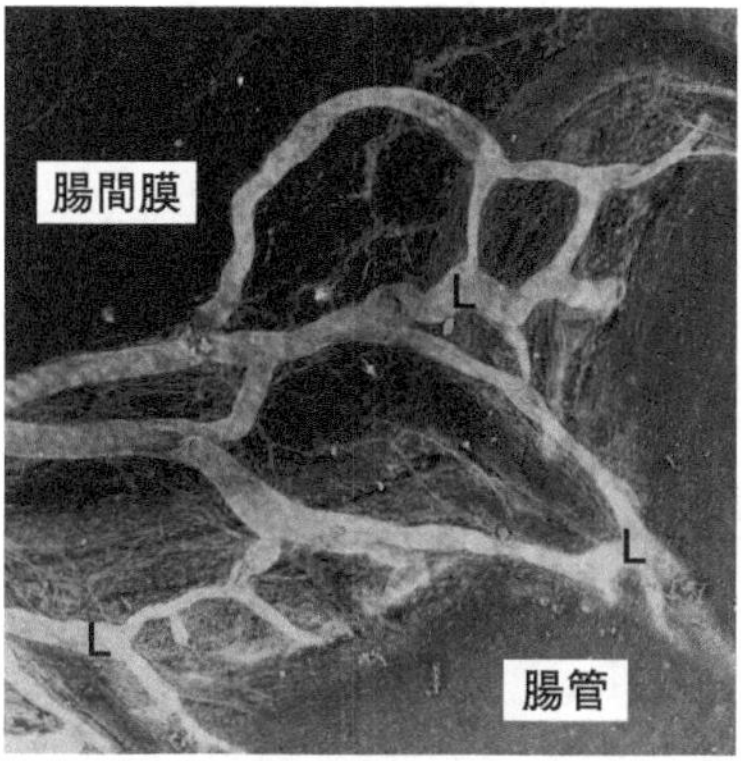

図4－13　腸間膜のリンパ管の組織化学SEM像（サルの回腸）　L：腸管壁に分布するリンパ管

横隔膜における起始リンパ管はどこから始まるのでしょうか？　また、どのようにして腹腔側と胸腔側の両リンパ管がつながるのでしょうか？

サルの横隔膜で、中皮細胞下に不規則な形をした内腔の広い毛細リンパ管が発達していることが見つかりました（図4－14）。横隔膜腹腔側の中皮直下の毛細リンパ管から、ロウト状あるいは畝状など、さまざまな形の突起がコラーゲン線維網の小さな穴を通って中皮細胞の間隙に覗き、リンパ管小孔を形成しています。

横隔膜の広い毛細リンパ管が腹腔と直接連絡し

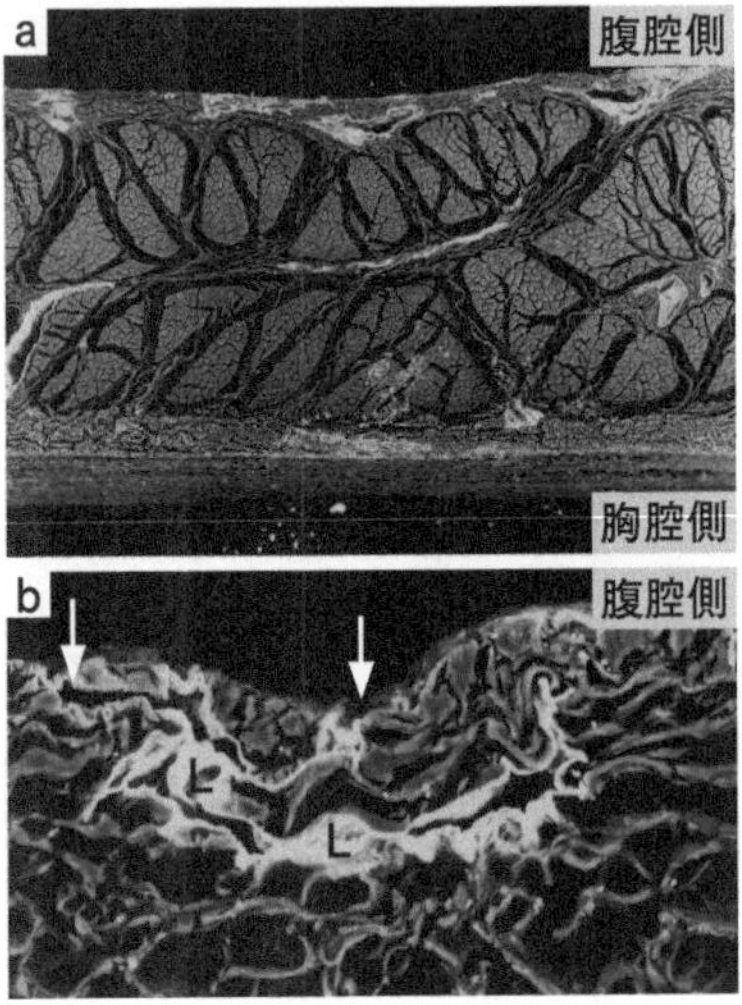

図4－14　サルの横隔膜（縦断面）のリンパ管の組織化学SEM像　a：腹腔側と胸腔側の比較、b：矢印は腹腔側にある小孔を示す。L：リンパ管

ていることは、呼吸による横隔膜の運動によって、腹腔内の滲出液（腹水）がリンパ管内に吸収されるうえできわめて重要です。横隔膜のリンパ管は腹水を吸収して、リンパとして流して血液に戻すとともに、腹水に含まれる免疫担当細胞をリンパ節に送る働きをしています。

このように、腹膜・間膜は単なる薄膜ではなく、腹膜中皮の直下にあるリンパ管系と密接な関係を結び、腹腔内の恒常性を維持しているものと思われます。

骨同士をつなぎ、動きをなめらかにするものとして関節がありますが、骨と骨のあいだの狭い腔所を「関節腔」といいます。関節腔の中には体液の一種である滑液があり、関節腔内で骨の連結面を湿らせる潤滑油のような役目をしています。関節腔は「関節包」という袋で包まれており、関節包は滑膜層と線維層の内外2層から構成されています。

関節腔面の滑膜表層は滑膜細胞で覆われており、その下の滑膜固有層には毛細血管網が、それよりやや深層に毛細リンパ管があり（図4-15）、関節包の外壁となる線維層にはやや太い集合リンパ管があります。関節腔に墨汁を注入すると、墨の粒子は滑膜表層の滑膜細胞に見られ、直接あるいはマクロファージに取り込まれてリンパ管に入り、やがて近くのリンパ節に達します。その後、異物として他の抗原と同様にリンパ節内で処理されます。

このように、滑膜層には血管とともにリンパ管が豊富に分布しており、中にある滑液の分泌や吸収・排出に働いています。関節の炎症によって膝が腫れるのは、滑膜からの滲出液の増加によるものですが、リンパ管による分泌液の排出機能の低下も関与している可能性があります。

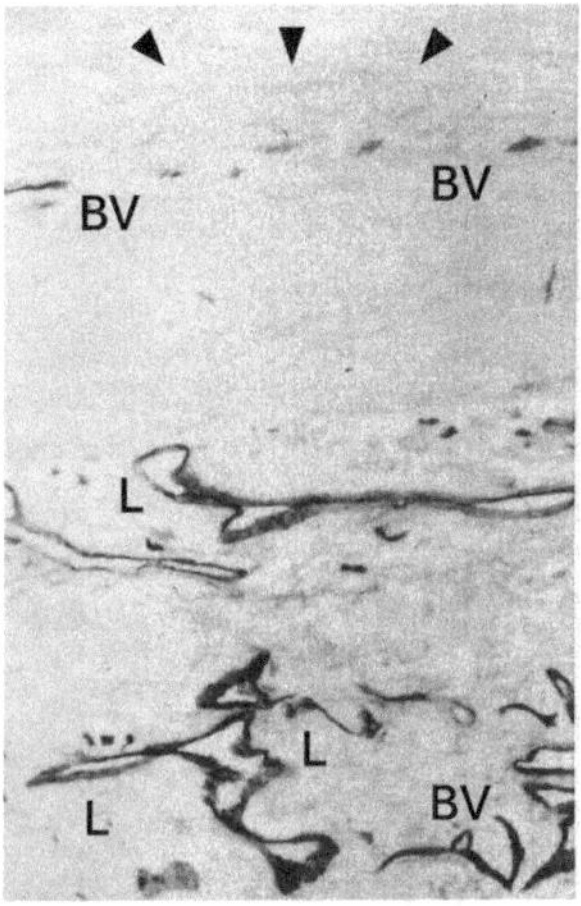

図4-15　サルの膝関節滑膜のリンパ管（L）分布（5'-Nase組織化学観察） BV：血管、矢尻：滑膜表層

アキレス腱のリンパ管が果たす役割

他の膜組織として、骨格筋の「筋膜」や、筋が骨に付着する腱を覆う「腱膜」のリンパ管分布はどうなっているのでしょう

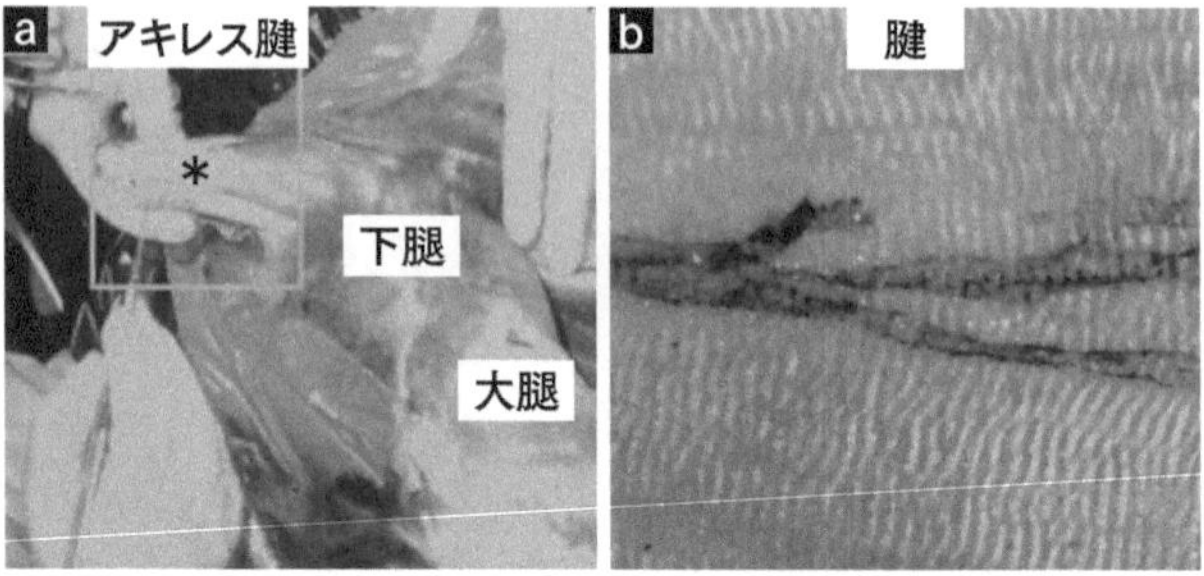

図4－16　サルのアキレス腱のリンパ管への墨注入実験(a)と、腱に注入した墨のリンパ管内の流れ(b)　＊印は墨の注入部位

か？

筆者らは、筋膜と腱膜の移行部位について、下肢運動の支えとなるアキレス腱に血管とともによく発達したリンパ管網があることを観察しました（図4－16）。このようなリンパ管の分布は、筋や腱の収縮運動によって、近接するリンパ管におけるリンパのポンプ状輸送が促進されることを示しています。筋膜や腱膜のリンパ管分布状況もリンパ流促進の一つの特徴といえましょう。

ちなみに、軟骨には血管もリンパ管も分布していません。また、骨には毛細血管はありますが、リンパ管は存在しません。他方、骨を覆う骨膜には、血管とともにリンパ管が分布しています。

4-3 腺組織のリンパ流

胆嚢や肝臓、膵臓のリンパ流

胆嚢や肝臓、膵臓など、消化腺から成る腺組織では、リンパ管の分布はどうなっているのでしょうか？　がんのリンパ行性転移とも関連する重要な問題ですので、胆嚢から順に見ていきましょう。

胆汁は、胆嚢から分泌されると思われがちですが、実は肝臓で産生され、胆嚢管を通って胆嚢へと注がれます。胆嚢で電解質（ナトリウムや塩素）や重炭酸塩、水分が吸収され、5〜10倍に濃縮されます。水分の吸収作用が著しい胆嚢では、嚢の壁にリンパ管網がよく発達しています。

袋状の胆嚢には多くの胆嚢ヒダがありますが、そのヒダの中にある毛細リンパ管と毛細血管の内腔面との位置関係を比べると、腸絨毛の場合と同様、リンパ管のほうが毛細血管より内腔面の粘膜上皮層に対してより深層に分布しています。膝関節の滑膜における両者の位置関係も同様で、腔や嚢に貯留する水分や組織液の吸収に関しては、腔や嚢の表面により近い浅層の血管がまず一次的に働き、深層のリンパ管は二次的に働いていることを示唆しています。

肝臓のリンパ管は、どこから始まるのでしょうか？

肝臓におけるリンパの流れは、①主たる約80％——胃腸から吸収した栄養などを送る数本の血管が合流して肝臓の下面の肝門部に入る門脈（静脈）に沿って肝リンパ節に下行する経路、②残りの約20％——中心静脈に沿って上行し、縦隔リンパ節に注ぐ二つの経路が存在するといわれています。

膵臓内ではリンパ管はどのように分布しているでしょうか？

今世紀初めの研究で、膵臓内の小葉では小葉間に広がるリンパ管網が大小の小葉全体を包み、太いリンパ管は血管に沿って走っているとされています。また、毛細血管網は内分泌部の膵島（ランゲルハンス島）によく発達していますが、膵島内ではリンパ管は認められず、膵島とリンパ管系との関係は現時点では不明です。しかし、膵島からの分泌物（ホルモン）の吸収・運搬に、リンパ管が関与している可能性も示唆されており、今後の研究の展開が期待されます。

甲状腺のリンパ流

ホルモンを産生する内分泌器官の一つである甲状腺は、腺組織の特徴である小葉構造をしています。小葉内は、甲状腺ホルモンの生合成・分泌に働く「濾胞」という袋状の構造になっています。個々の濾胞では、有窓型といわれる特徴ある毛細血管がカゴ状の密な網目をつくり、直接密

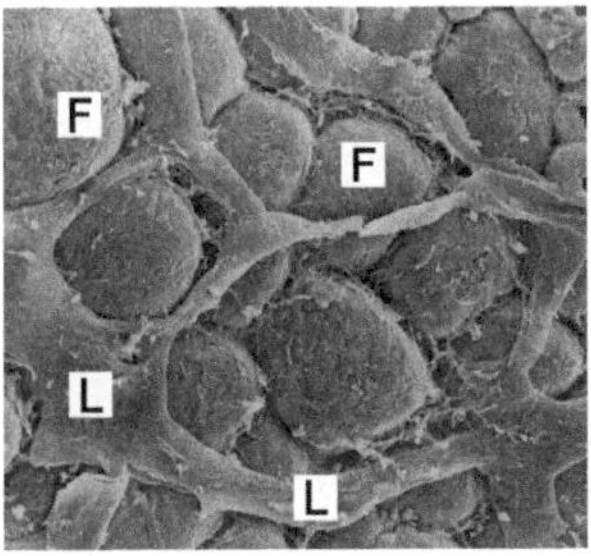

サル甲状腺のSEM像

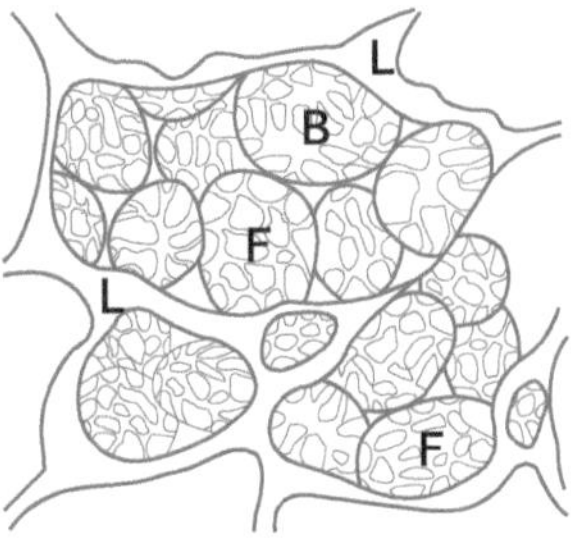

甲状腺のリンパ管と血管の分布模式図

図4－17　甲状腺のリンパ管分布　L：毛細リンパ管、B：毛細血管、F：甲状腺濾胞（大分大学医学部・島田達生先生提供）

着しています。

一方、毛細リンパ管は多くの場合、毛細血管が近接して分布する各濾胞を数個の集団として取り囲み、血管網より粗い網目を形成しています。つまり、毛細リンパ管は毛細血管に比べ、濾胞から離れた位置に分布していることになります（図4－17）。

このことから、甲状腺から分泌されたホルモンは直接、毛細血管に入り、ホルモンの固有の標的となる全身の決まった器官へと運ばれて作用することがわかります。ただし、現時点では直接的な証拠はありませんが、分子量の大きなホルモンの一部（サイログロブリンなど）は、濾胞から漏れた際に周辺の結合組織の間隙を通って毛細リンパ管に入り、運ばれる可能性も推測されています。

生殖腺のリンパ流は?

卵巣や卵管、子宮の粘膜は性周期（月経周期）の影響を強く受け、その形態と機能が周期的に著しく変化することはよく知られています。そのような激しい変化のなかで、リンパの流れはどのようになっているのでしょうか?

卵巣は、骨盤腔の外側壁の近くに左右1対あります。卵巣内の毛細リンパ管は粗い網目構造を形成して、卵とそれを囲む上皮（卵胞上皮）を合わせた卵胞を取り巻き、卵巣の実質の深層部（髄質）における集合リンパ管に連なって、動静脈に伴って卵巣外に出ます。卵巣におけるリンパ管は、卵胞の成熟あるいは黄体の形成の際に、過剰な組織液の排出路として重要であるとともに、黄体形成ホルモンの運搬に関与していると考えられます。

排卵後の卵は、卵管の尖端（卵管采といいます）から取り込まれますが、卵の輸送に重要な機能をもつ卵管にも、卵巣周期に伴って管壁（特に粘膜）の変化が見られます。その変化は血管で顕著ですが、リンパ管にも見られます。

卵管におけるリンパ管は、卵管采の全層と漿膜下に見られます。特に卵管采では、排卵時にリンパ管の内腔が拡張してリンパ洞といってよいほど大きなリンパ管が見られます。このことは、卵の採取時に生じる卵管采の生理的水腫状態の防止や、異物の吸収に積極的に関わっていることを示しており、興味深い現象です。

子宮は膀胱と直腸のあいだにある平滑筋性の中空性器官ですが、その壁は子宮内膜（粘膜）・子宮筋層・子宮外膜の3層から構成されています。特に、子宮内膜は性周期の影響を強く受け、リンパ流もその周期的変化とともに変動することが知られています。

4-4 臓器内のリンパ流

リンパの変化が心臓の機能に影響している

哺乳類の心臓は血液を送り出すポンプとして、左右にそれぞれ心房と心室があり、つごう4つの部屋から構成されています。図4-18は、18世紀に描かれた古い解剖図譜中のヒトの心臓のリンパ管分布図です。心臓壁はリンパ管に富み、心房壁より心室壁のほうがよく発達しています。心臓壁の各層（心内膜・心筋層・心外膜）でリンパ管網を形成し、それらは集合リンパ管に合流して心臓リンパ節を介して右静脈角に流入するか、一部は胸管を介して左静脈角に流入します。

リンパに含まれるナトリウムやカリウム、塩素などの電解質の量は比較的、血液と類似しています（18ページ図1-4参照）。したがって、心臓におけるリンパの変動は、心臓機能に影響を

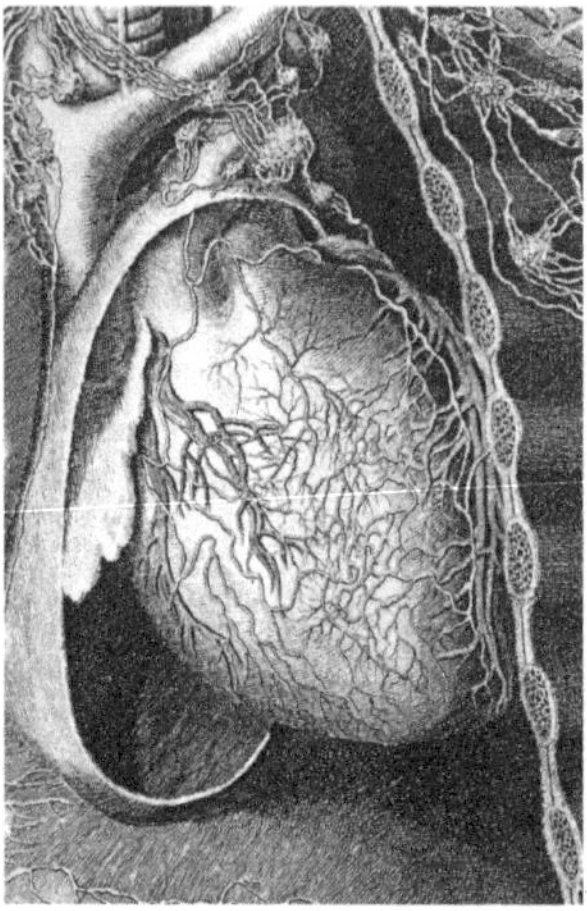

図4−18　ヒトの心臓のリンパ管分布　マスカーニの解剖図譜(1787)より引用

及ぼします。たとえば、冠状動脈の閉塞によって心筋梗塞が起こると、心臓のリンパの流量やカリウム濃度が増加することが知られており、心筋の収縮力の減退など、心筋障害の指標になります。

心臓壁の中層にあたる心筋層には、リンパ管はきわめて少ないのですが、心室の心内膜や心外膜に密なリンパ管網があることが、電子顕微鏡による観察で明らかにされています。心内膜や心筋層内に針を刺して色素や墨汁などを注入すると、心外膜にある毛細リンパ管からやや太いリンパ管に集まり、心外膜の集合リンパ管を経て心臓から出ていくようすがわかります。これは、心臓壁の三つの層でリンパ管が連なっているためと考えられますが（図4−19）、心筋層のリンパ管を三次元的にとらえることはきわめて困難で、残念ながらいまだに立証されていません。

心臓における毛細血管は、個々の心筋線維に密着して走行しています。一方、毛細リンパ管は心筋線維の束ごとに周囲を囲んで、血管より粗い網をつくっています。

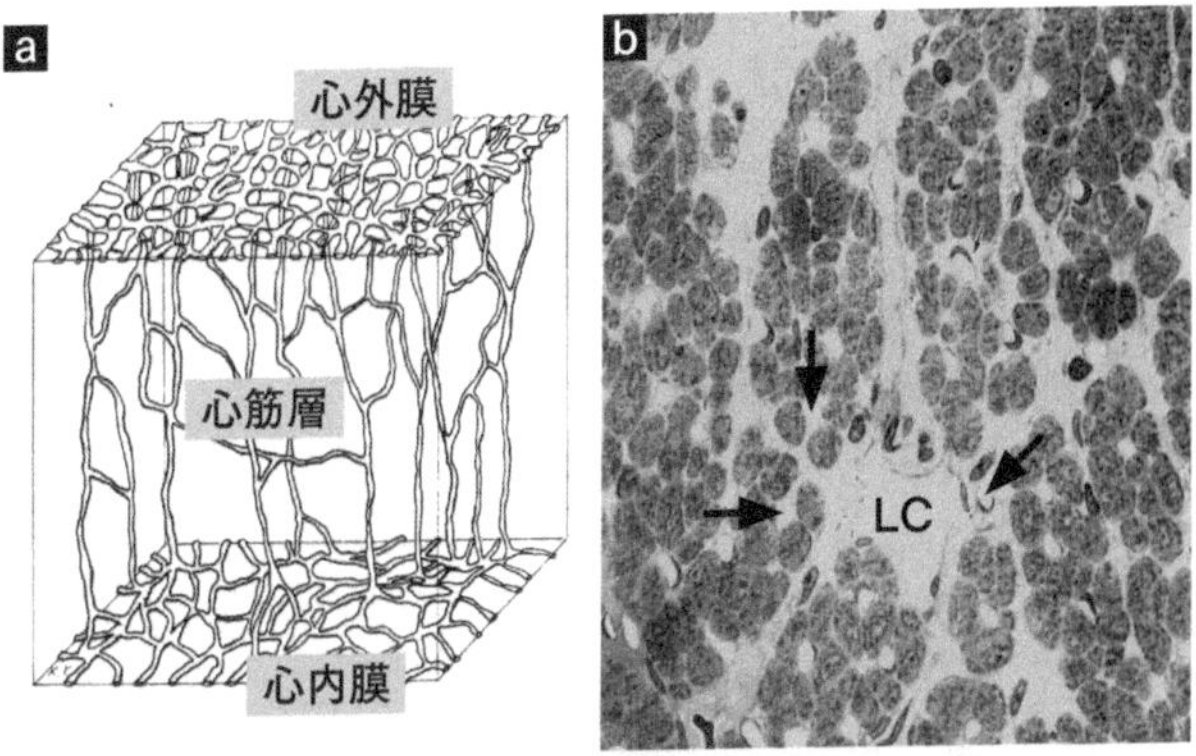

図4－19　心臓のリンパ管の立体構築（a）と組織像（b）　心筋層内の毛細リンパ管（LC）と毛細血管（矢印）（大分大学医学部・島田達生先生提供）

心臓には、ポンプ運動のための収縮刺激を伝導する一般の心筋とは異なる、特殊な心筋線維（細胞）で構成された刺激伝達系（興奮伝達系）とよばれる部位が存在します。刺激伝導系は心房と心室の収縮をコントロールしており、ここに毛細リンパ管があるかどうかは、恒常的に心拍動を維持するための微小環境を守る観点から興味深い問題です。近年の研究によれば、洞房結節ではリンパ管は少ないものの、房室結節や房室束に多くの毛細リンパ管が分布していることが明らかにされています。

歯の中を流れるリンパ

炎症によって歯周組織が破壊されて起こる歯周病は、よく耳にする歯科口腔の疾患の一つです。歯周組織には、歯を支える歯肉に加え、歯根膜と

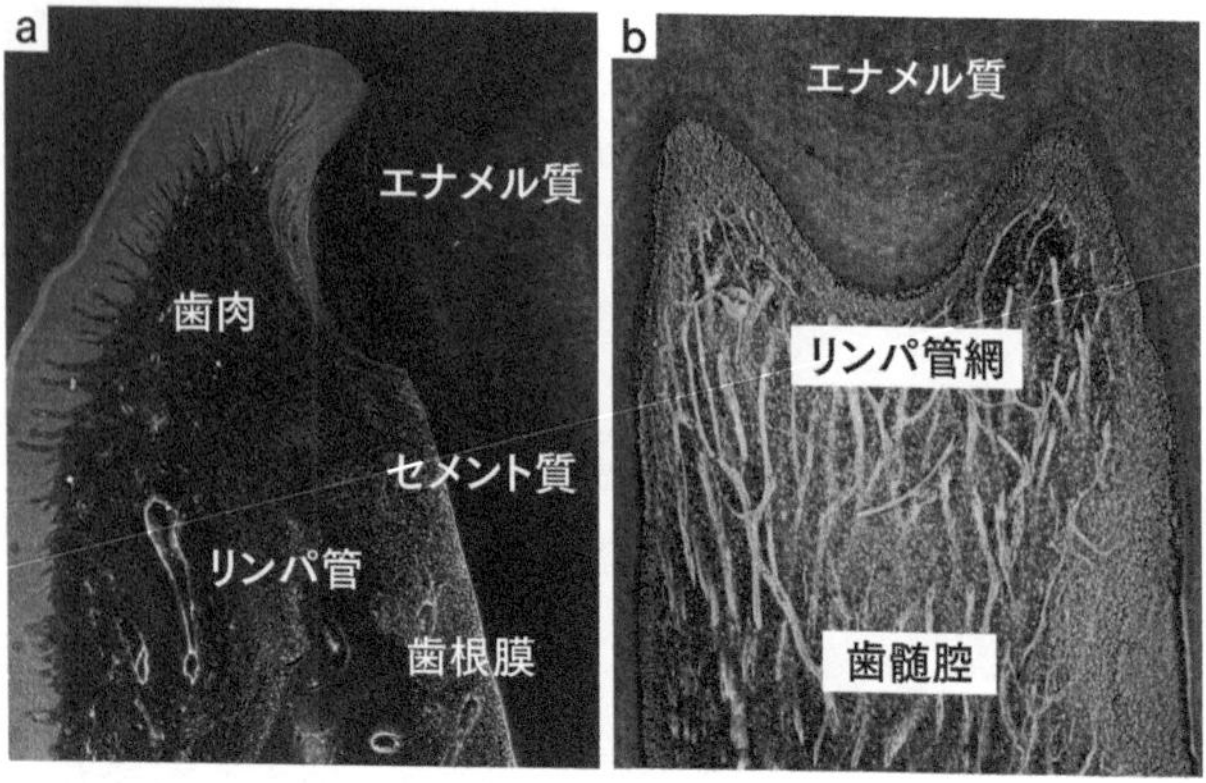

図4－20　歯髄にもリンパ管がある　歯肉・歯周組織(a)および歯髄(b)のリンパ管分布(サル)（リンパ管酵素組織化学SEM像）

硬組織のセメント質、歯槽骨の４つが含まれ、血管とともにリンパ管もよく発達しています（図４－20a）。

一方、歯牙組織に閉じ込められた歯髄腔内にあるのが歯髄です。歯髄は、胎児に見られる未成熟なゼラチン状の特徴を有しており、胎生結合組織とよばれています。歯髄では組織液の交流は限られ、他の部位と比べて物質交流が盛んなところではありません。

したがって、かつては歯髄に神経や血管はあっても、「リンパ管は存在しない」とされていました。ところが、最近の筆者らによる組織化学的研究の成果で、歯髄にリンパ管が分布していることが明らかとなってきました（図４－20b）。

眼や耳のリンパ流は？

最後に、感覚器（視覚＝眼、聴覚＝耳）におけるリンパについてふれておきましょう。

眼のリンパ管分布に関する研究報告はきわめて少なく、わずかにまぶた（眼瞼）や結膜、涙腺などに限られているようです。眼球内にはリンパ管はなく、眼窩にはあります。眼窩のリンパ管は視神経鞘の間隙から付近の結合組織に浸潤し、やがて毛細リンパ管網に吸収されますので、脳脊髄液を排出するリンパ管であると考えられます。

なお、まぶたのリンパ管は皮膚のリンパ管と同様、真皮で密な網を形成し、眼輪筋の深側にある線維性の瞼板のまわりでは皮下組織でまばらなリンパ管網をつくっています。結膜のリンパ管は粘膜固有層から粘膜下層に向かって排出され、眼窩の中にある脂肪体内のリンパ管へと連絡します。涙腺のリンパ管は、外眼角から耳下腺内のリンパ節を経由して頸リンパ節に流れます。

耳のリンパといえば、平衡覚と聴覚をつかさどる内耳の中で、複雑な洞窟のような構造をした骨迷路の外リンパと、膜迷路の内リンパについて聞いたことがあるかもしれません。鼓膜の振動は内耳の外リンパの流動を生じ、その刺激によって音が伝わります。

ところが、リンパという名でよばれてはいますが、これらはあくまで内耳の組織液です。両者の化学組成をみると、内リンパは細胞内液の性質をもち、外リンパに比べてカリウムが多く、ナトリウムやマグネシウムが少ないという特徴があります。

外耳（耳介・外耳道・鼓膜）のリンパ管分布は、基本的には皮膚と類似しています。鼓膜の外耳道側から内側の鼓室側に向かって、皮膚層・固有層・粘膜層の3層がありますが、粘膜下にはリンパ管が発達しています。

中耳炎の一種に、世間ではあまり知られていない中耳真珠腫（真珠腫性中耳炎）があります。この病気は本来、鼓膜の外側の皮膚の部分が内側の粘膜に向かって嚢胞状となり、炎症細胞が浸潤して障害するものです。その症例におけるリンパ管分布を調べた筆者らの観察では、埋もれた粘膜から漏れた粘液が組織に浸み込んで、リンパ管内にも浸入しているようすが認められました。つまり、浸入した粘液がリンパ管内皮を脱落させ、周囲の結合組織に浮腫を起こして、炎症が進むことが推測されます。

第5章

リンパの流れが滞ると…？

5-1 「むくみ」の正体

患者数は12万人

からだを流れる脈管のうち、血管の閉塞によって血液の流れが悪くなったり（血行不良）、血液の供給が途絶えたり（虚血）すると、組織の細胞は低酸素・栄養不足状態となって、やがて壊《え》死《し》します。一方、リンパは血管から組織に漏れ出た血液の成分（組織液）がリンパ管で吸収されたものですので、リンパ管は健常かつ正常な体位であれば、つねに細胞や組織の余分な水分を回収しています。

ところが、長時間にわたってイスに座りつづけたり、ベッドに寝たままの姿勢を取りつづけたり、あるいは循環器系の病気を患っていたりすると、リンパ管への組織液の吸収やリンパの輸送が低下します。その結果、リンパの流れが滞り、体内の老廃物などがスムーズに回収されないまま皮下の組織間隙に溜まってしまいます。これが「むくみ」です。

むくみには、これら一時的に起こる生理的な腫脹状態とは別に、やけどなどで細い静脈から特異的にアルブミンが漏れ出て起こる水疱や、怪我で皮膚が化膿する前にはれて、翌日になってもなかなかひかない病的なものもあります。

「むくみ」は正式な医学用語ではなく、医学的には「浮腫」（エデーマ）といい、発生原因によって、二つに区別されます。

一つは、心臓・血管系の循環機能低下や腎臓の排尿機能の低下などによって起こる一般の浮腫です。もう一つは、リンパ流の阻害と減退が原因で組織間隙に組織液が溜まった状態を指し、これを「リンパ浮腫」とよびます。従来、リンパ浮腫についての情報は一般に知られることが少なかったのですが、最近では、患者数は約12万人ともいわれています。

「むくみ」と「はれ」の違いは？

「むくみ」も「はれ」も、手や足が太くなっている状態を指しますが、その意味は少し違います。

むくみ＝浮腫――細胞外の組織間隙に過剰な体液が溜まった状態
はれ＝腫脹――からだのある部分の体積が正常より大きくなっている状態

はれの原因は、主に細菌感染、打撲や外傷（切傷・熱傷）による皮下出血、捻挫・骨折やリウマチなどの関節の炎症やアレルギーなどさまざまです。

一方のむくみはどうでしょうか？　なぜ、からだの部位に組織液が溜まるのでしょうか？

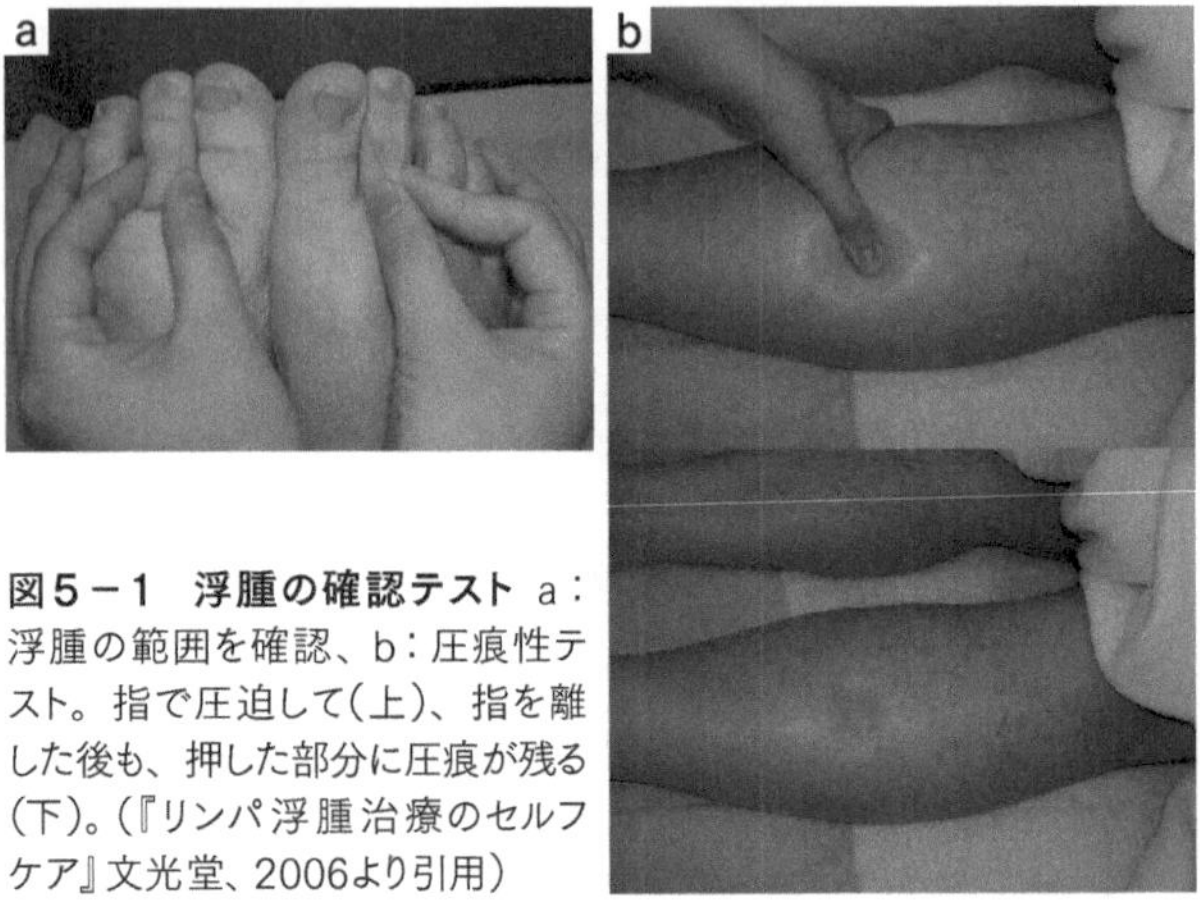

図5－1　浮腫の確認テスト a：浮腫の範囲を確認、b：圧痕性テスト。指で圧迫して(上)、指を離した後も、押した部分に圧痕が残る(下)。(『リンパ浮腫治療のセルフケア』文光堂、2006より引用)

日常生活においては、朝起きたときに顔がむくんでいたり、一日中立ち仕事をしてふくらはぎがむくんだりします。血液と同様、リンパも重力の影響を受けます。立っているだけでも心臓の位置より低い下肢にある静脈の血液は足に溜まりやすく、同時にリンパも上体に戻りにくくなるわけです。体位によってリンパの流れが滞る結果、むくみが生じるのです。

むくみを軽視せず、すぐ受診しよう

むくみは、特に女性にとっては手・足が太くなったように感じ、美容の観点からも嫌なものです。むくんでいるかどうかを確認するには、むくみの広がり具合や皮膚の肥厚の状態、関節の動きなどを確かめます。むくみの状態は、顔、腕、手、指、脚(足)など、自分の指で押してみるとわかります

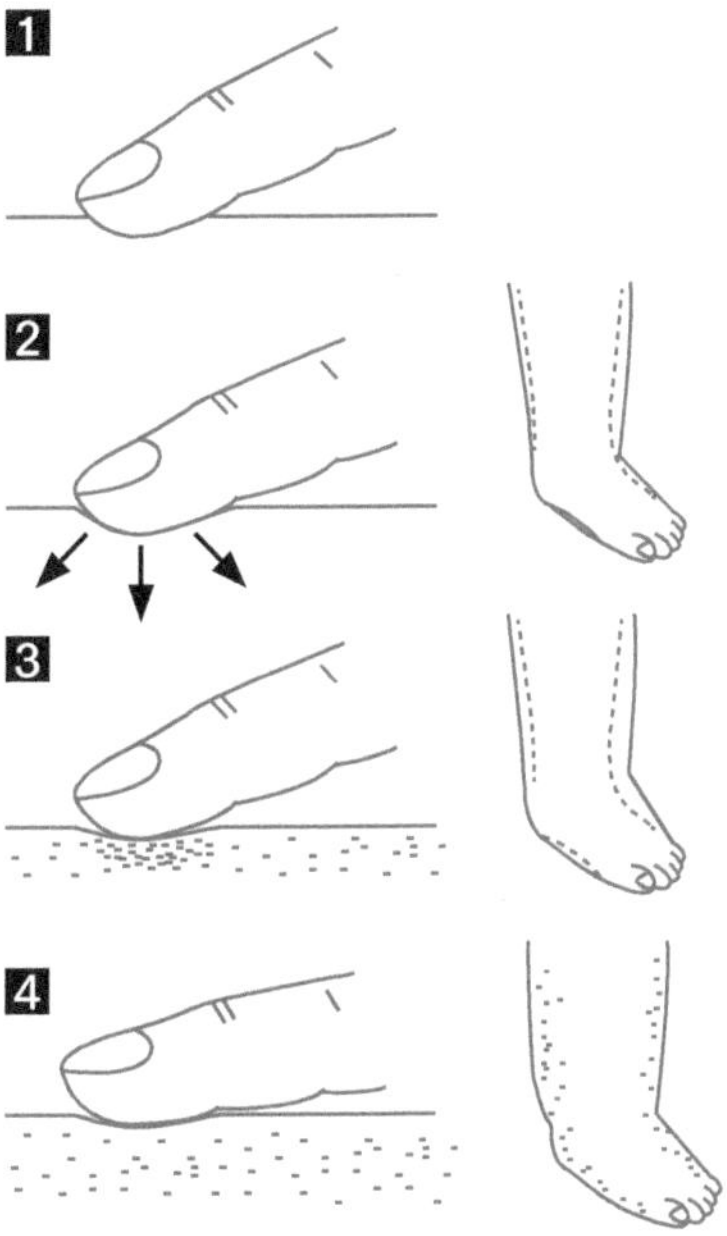

1　軽症のリンパ浮腫。皮膚はやわらかい。

2　皮膚を指で押すとへこみ、その跡が残るように、軽度のむくみがある。水分を多く含み、まだ浮腫を改善させやすい時期。むくみの見られる腕や脚をからだの上に上げておくと、むくみは元に戻る。

3　皮膚の線維化が目立つ時期。皮膚を指で押しても、その跡が残らなくなる。

4　線維化が増し、皮膚の固さが目立つ時期。腕や脚が極端に太くなって変形し、上に上げても元のようには戻らない。

図5－2　リンパ浮腫の症状のセルフチェック（圧痕性テスト）（『リンパ浮腫治療のセルフケア』より引用改変）

（図5－1）。

たとえば、おでこや足のすね（いわゆる弁慶の泣きどころ）など、皮膚のすぐ下に骨しかない場所では、5〜6秒じっと押してから指を離すと、浮腫が生じていなければへこんだところはたちまち元の状態に戻ります。赤みは少し残るかもしれませんが、へこみが残ることはありません。

しかし、へこみが残り、元に戻るのが遅い場合には、「むくんでいる」すなわち浮腫の状態にあると診断されます。大切なのは、からだのやわらかい部分をいくら押しても、むくみがあるかどうかはわからないということです。必ず、硬いところを押しましょう。

むくみのセルフチェックとしては、ここでご紹介した「圧痕性テスト」が簡単です。むくみと皮膚の状態変化は図5－2に示す症状から判定でき、基本的に皮下組織の線維化です。

図5－1aでは、浮腫の範囲がどこまで広がっているかを確認するため、親指側から2番目の足指の皮膚を、親指と人差し指でつまみ寄せています。浮腫がある場合には、皮膚をつまみ寄せることが難しくなります。そのほか、皮膚の肥厚を調べたり、関節の動き（可動性）をチェックしたりすることでも、むくみの有無を確認できます。

むくみが見られたら、できるだけ早く医者にかかり、適切な診断と処置を受けてください。以前にリンパ節切除などの手術を受けた経験がある人は、そのことによるリンパ路の障害（リンパ浮腫）も疑われ、たいへん重要な情報となりますので、忘れずに申し出ましょう。

ファーストクラスでも起こる「エコノミークラス症候群」

海外旅行時などに、飛行機内で長時間同じ姿勢を取りつづけることで起こる病気に、いわゆる「エコノミークラス症候群」（ロングフライト血栓症）があります。

「エコノミークラスの座席スペースは比較的狭く、姿勢を変えたり足を動かしたりしづらいことが原因で起こりやすい」というイメージから命名されたものでしょうが、実はエコノミークラスに限らず、ファーストクラスに座っていても起こりうる症状です。医学的には、肺血栓塞栓症と深部静脈血栓症をあわせた疾患概念です。

エコノミークラス症候群は、なぜ生じるのでしょうか？

上空における飛行機内の気圧は、地上での1気圧よりかなり低くなっています（1万メートル上空で0・85気圧）。その結果、皮膚の下にある管壁の薄い静脈やリンパ管が引っぱられ、風船が膨らんだような状態になることで血液やリンパの流れが悪くなるのです。

動脈は管壁が厚く、心臓からの一定の圧がかかることで、動脈血は流れていきます。しかし、静脈やリンパの流れは、管腔の陰圧力や、周囲の臓器（たとえば筋組織）の動きによって二次的にコントロールされています。静脈やリンパ管に、液の逆流を防ぐための弁があるのはこのためです。

エコノミークラス症候群は、上空で飛んでいるときより、飛行機が着陸して長時間の着座姿勢から解放され、立ち上がって歩き始めたときのほうが危険です。筋ポンプ作用によって、下半身の静脈の血液が急に流れはじめるからです。その際、血管内に血栓があると、それが一気に肺などに飛んで血管を詰まらせ、いわゆる肺塞栓《はいそくせん》を引き起こして死にいたる場合があります。防止策としては、こまめに水分補給をしてできるだけひんぱんに姿勢を変え、ときには軽いマッサージなどをするとよいでしょう。

足を心臓よりも少し高くして休むと、リンパの流れが正常に保たれ、足のむくみは自然に解消されます。足が疲れたときに足を高くして寝ると気持ちがいいのは、足のリンパの流れが自然とよくなっているからです。むくみを避け、解消するには、血液やリンパの流れをよくすることが大切です。

5-2 「リンパ浮腫」という名の病気

リンパ浮腫はどう発症するか

むくみの原因はさまざまであり、単に体位（重力の方向）によって局部に過剰な組織液が溜まる場合と、明らかに病気が原因である場合とがあります。

むくみの原因となる病気には、全身性浮腫では心不全や腎不全、肝不全、内分泌疾患などがあり、局所性浮腫の場合には静脈性・アレルギー性のものがあります。よく知られているように、妊婦の場合は、拡大した子宮による圧迫で下肢がむくみます。

血行障害やリンパ流の停滞によって組織全体の代謝が低下すると、その付近の集合リンパ管の壁にある平滑筋細胞の活性が落ち、内皮細胞の物質代謝に関わる細胞内小器官の減少や脱落などのような変性が起こります。その結果、平滑筋による管壁の収縮力が小さくなり、リンパの還流機能が低下したり、リンパ管に炎症（リンパ管炎）が起きたりして管腔の閉塞・消失が進み、浮腫が悪化します。

さらに、浮腫の状態では組織液が正常に吸収されず、リンパ管によるリンパの循環が活発に起きないため、リンパの中の抗体や免疫担当細胞であるリンパ球の供給が滞り、免疫力が低下します。過度の疲労や皮膚の傷などから、細菌感染やアレルギー反応などが起きやすくなり、赤い斑点や痛み、発熱を伴う「蜂窩《ほうか》織炎《しきえん》」という病気を併発したりします。

蜂窩織炎とは聞きなれない名前ですが、皮膚の小さな傷からブドウ球菌や連鎖球菌などの細菌が感染して起こる病気です。表皮の下の真皮から皮下組織にかけて炎症が起き、膿んで熱く、かゆみや不快感が生じて赤い斑点が散在することから名づけられました。

この蜂窩織炎の病態に関して、日本のリンパ浮腫治療のパイオニアである廣田彰男医師（広田内科クリニック）はリンパ浮腫治療に関する小冊子（「リンパ浮腫の治療」、１９９３）の中で次のような考えを述べています。

「健康な浮腫のない皮下組織（組織間隙）は編みたてのセーターのようなもので、少し伸ばされても元に戻ります（図５－３ａ）。いわゆるむくみが生じた組織間隙（網目の間）に液がたっぷ

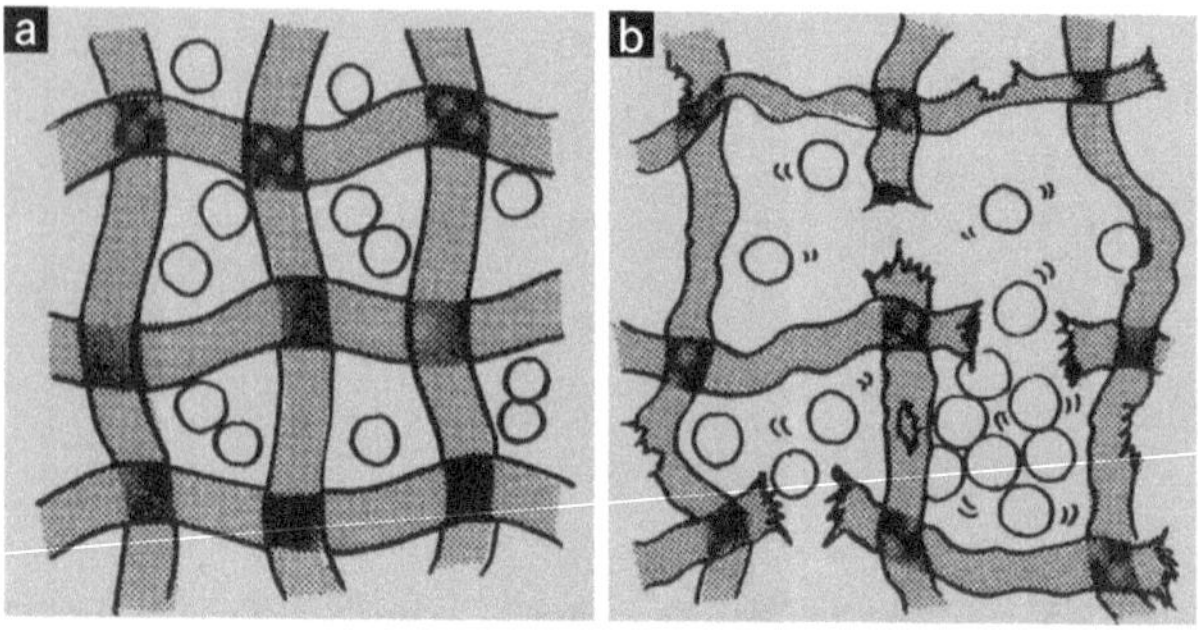

図5－3　皮下組織の模式図：健常な組織(a)と浮腫組織(b)（「リンパ浮腫の治療」廣田彰男著、広田内科クリニックより引用）

り溜まりそれが長い間続くと、皮下組織内の弾性線維（毛糸）は伸びきって元に戻れない状態になってしまい、所々ほころびてしまいます（図5－3b）。そのため元々は区分されていた皮下組織間隙は広がってお互いにつながってしまい、水分が自由に行き来できるようになってしまいます。このような状態のところへ蜂窩織炎のように熱が加わると、むくみを引き起こす液は急激に増え薄まるために流動性が増し、この時立っていると液は足の方へ落ちていきます。その後炎症が治ってしまうとむくみの液は固まり（組織の線維化）、悪化することになります。逆に炎症が起きた時、浮腫を患っている手や足を上に上げると、液が流動的になって高い位置にある手や足から低い位置の鼠径部へ向かい流れ、体幹部のリンパ管へ排出されることになります」

より専門的には、リンパ浮腫は1983年、ドイツ・フライブルクの有名なリンパ浮腫専門病院「フェルディクリニック」のリンパ学者ミカエル・フェルディラによって、「リンパの輸送障害に組織間物質内の細胞性タンパク処理能力不全が加わって高タンパク性間質液が貯留した結果起きる臓器や組織の腫脹」と定義されています。

噛み砕いていえば、「リンパ管の発育不良であったり、がんの手術などでリンパ節の切除をした場合、リンパの流れが悪くなり、運び去られるべき組織液が組織に溜まると、白血球などの活性が弱まって、細胞間隙にあるタンパク性物質や細菌などを処理する能力が低下してタンパク性浮腫が起こる」ということです。

リンパ浮腫では、組織内に水分や血漿タンパクを貯留させるだけでなく、時間が経つとしだいに皮下組織の広がりによる線維化が進み、皮膚を指で押してもへこまなくなります（141ページ図5－2参照）。リンパ管の機能不全とリンパ液貯留によってリンパ浮腫が悪化し、皮下のリンパ管に瘻孔《ろうこう》ができ、そこからリンパが漏れ出たりして、患者のＱＯＬを著しく低下させます。

さまざまなリンパ浮腫

リンパ浮腫は、状況や原因によって、先天性のリンパ管形成不全などによるリンパ浮腫と、手術など外部からの要因や機能的欠損（弁不全）によるリンパ管系の構造上の閉塞で起こるリンパ浮腫の、大きく二つに分けられます。前者は、先天性（原発性）のものを含めた原因不明の一次性、特発性リンパ浮腫です。後者は、たとえばがんの外科的治療や放射線治療などの後遺症として明らかな原因が把握できる二次性、すなわち続発性リンパ浮腫です。

一次性、特発性リンパ浮腫では、リンパ管系の形成が不十分であるか（低形成）、逆に過剰な形成をしている（過形成）などの異常があると考えられます。先天性か非先天性か、家族性・遺伝性で発症するかそうでないか、などのケースがあります。

発症の時期にも違いがあり、出生時から少し見られつつも後年になってはっきりしてくるものや、小児・思春期から徐々に発症する場合などがあります。浮腫は比較的女性に多く、先天性以外のものは、当初は片方の足の背側に始まって膝や鼠径部まで上がってきますが、顔まで達することはまれです。

二次性、続発性リンパ浮腫は、リンパ管の炎症、腫瘍の増殖による組織への浸潤、手術後のリンパ流停滞によってむくみが生じるものをいいます。リンパ流停滞の原因としては、リンパ管が圧迫されたり、損傷（切除や切断）を受けたりすることや、弁不全や管腔の内径が狭くなる（狭窄）ことなど、さまざまです。

外傷などで体内に侵入した細菌がリンパ管に取り込まれ、そこで炎症を起こしたものを「リンパ管炎」とよびます。しばしば白癬《はくせん》（水虫）菌が原因となり、皮膚表面にリンパ管に沿って線状の発赤として認められます。直接にはリンパ管内に侵入してリンパ流を阻害し、一方で最初に感染した細菌とは別の菌が感染する、いわゆる細菌性二次感染を起こしてむくみが強くなります。

リンパ管炎を繰り返すことによって、リンパ管内に栓塞や、炎症後の瘢痕《はんこん》による収縮、狭窄、閉塞を起こし、むくみを生じてさらに感染を助長する悪循環に陥ります。

二次性、続発性リンパ浮腫には、寄生虫感染によるものもあります。熱帯地方の風土病であるフィラリア症に見られるもので、蚊によって寄生虫（糸状虫）が媒介され、頻度は高くありませんが、下肢の腫脹や陰嚢水腫などが生じます。

静脈血栓症に伴うリンパ浮腫（静脈性リンパ浮腫）は、静脈血栓などによって静脈還流障害を起こし、リンパ管系に対する負荷増大でリンパ浮腫が生じるもので、脚が赤紫色になります。

四肢の損傷や結紮《けっさつ》後に起こることがある外傷性リンパ浮腫の原因は不明です。一次性のリンパ浮腫と区別がつきにくいこともあります。

また、乳がんや子宮がんの手術時に、がんの転移を考慮して、病巣付近のリンパ節を切除（リンパ節郭清《かくせい》）したときに起こる浮腫もあります。婦人科系疾患による腫瘍摘出時のリンパ節郭清患者のうち約30％に、浮腫が発症するという報告もあります。浮腫は、術後すぐに生じる場合もありますが、５～10年経過してから発症する場合もあり、発症時期や症状には個人差が大きいといわれています。

リンパ浮腫が進行するとどうなるか

リンパ浮腫は、身体（体幹）や四肢（手・足）などのいろいろな部分で発症します。いわゆるだるさや疲労感から、手・足に重苦しさや痛み、うずきなどの感覚異常、皮膚の圧迫感、手首・足首の柔軟性や手の握力の低下など、さまざまな自覚症状が起こります。からだの特定部分に、衣服や指輪、腕時計、ブレスレットなどがきつく入り込んだだけでも起こることがあります。

症状が悪化すると、上肢では「物をもちにくい」「小さなものをつまみにくい」、下肢では「階段など段差のあるところでの移動が困難になる」など、日常生活に支障を来すケースもあります。

相対的に、女性のほうが男性より症状が強く現れる傾向にあります。女性のほうが筋の発達が低く、筋ポンプ作用が弱いため、血液やリンパの流れが悪くなりやすいことがその理由です。女性ホルモン（エストロゲンやプロゲステロン）には体内の水分の流れをよくする働きがあり、筋ポンプ作用の弱さを補っていますが、生理前になると女性ホルモンの分泌が低下し、頭痛やイライラ、顔のむくみといった症状が出てきます（月経前症候群）。

リンパ浮腫の症状を、初期から重度まで段階的に見ていきましょう。

①潜在性リンパ浮腫

発症初期には、臨床的にほとんどむくみは認められず、リンパ管造影でリンパ管路の異常が確認される時期があります。

リンパ管は枝を出して互いにつながっており、一部の枝がふさがるとリンパは他の枝を迂回して流れます。この脇道を側副循環路（バイパス）とよび、この現象を側副循環といいます。動物のリンパ管を結紮して、リンパ流の遮断実験を行うと、数日後にはリンパ流がふたたび滞ります。血管系でもよく見られるものです。

まだむくみの認められない発症初期には、側副循環路が働いているため、リンパは容易に迂回して流れており、特別な障害が発生しないわけです。しかし、この時期に虫刺されや怪我で小さな外傷を受けて炎症を起こすと、血管外への水分やタンパクの漏出が急に増えて、側副循環路でのリンパ輸送では追いつかなくなり、むくみが出てきます。

②可逆性リンパ浮腫

片側の手・足の背側部、あるいは腕・脚の下部にむくみが見られるようになりますが、朝には軽減します。組織間隙内の結合組織の分布が粗いため、その場に組織液を留めることなく重力の影響で体の下部へと流れ、手首や足首にむくみとして現れることになります。

これが進行することで浮腫の兆候が強まり、皮膚表面の血流が悪くなるので、皮膚は蒼白とな

観察のポイント	具体的症状など
1) 皮膚の色や温度 ①静脈の見え方 ②皮膚の厚み	皮下の血液の流れが正常であれば、皮膚の色や温度は健康な側とほとんど変わらない。しかし、皮膚の厚みが増すことで、今まで透けて見えていた皮膚直下の静脈が見えにくくなる。
2) 太さの違い ①水分貯留(むくみ) ②皮膚の乾燥や硬さ	リンパ浮腫の特徴として、皮下に鬱滞しているタンパク濃度の高い水分の影響で左右の太さが違ってきたりする。水分が溜まっている際、浮腫のある患部に親指の腹をしばらく当てた後、ゆっくり離してみると、そこに指の圧痕が残る(圧痕性テスト)。なお、線維化が進むと皮膚の硬さが増し、指の跡は残りにくくなる。
3) 急性炎症 ①皮膚の乾燥 ②皮膚の赤味や熱感	リンパ浮腫を発症している皮膚は、免疫力が低下していて見た目よりもデリケートで、乾燥した皮膚や傷口から細菌感染することで急性炎症を起こすこともある。日頃から皮膚を清潔に保ち、十分な保湿を心がけることが大切である。

図5－4　リンパ浮腫のセルフチェックポイント(後藤学園附属リンパ浮腫研究所提供)

り、冷たく感じられます。この時点では組織の硬さはあまり変わらず、やわらかいままです。

③非可逆性リンパ浮腫

朝になってもむくみが軽減しないようになり、皮膚もしだいに硬くなって、指で押してもへこまなくなります。それまで組織間隙を自由に流れていたタンパクや脂肪などが変性し、沈着して組織の一部となってしまったためです。皮膚は蒼白で硬く、滑らかで弾力を欠くことになります。

④象皮症

③の状態が長く続くと、組織間隙にあるタンパクは変性して線維網を形成し、脂肪も固まりはじめます。この状態が際

時期	進行状況（症状レベル）
前期	リンパ量も正常状態で、まだむくみはみられないが、リンパの流れが低下傾向にある（浮腫と診断される潜伏期の状態）。
第一期	皮膚を指で押すとへこみ、その跡が残るように、軽度のむくみがある。むくみのみられる腕や脚をからだの上に上げておくと、むくみは元に戻る。
第二期	皮膚を指で押してもへこまなくなるぐらい皮膚が硬くなる（線維化が起こる）。腕や脚を上げても元のようには戻らない。
第三期	むくみが強くなり、腕や脚が極端に太くなり、変形する。線維化が進むと、象皮症となる。

図5－5　リンパ浮腫の進行状況分類（後藤学園附属リンパ浮腫研究所提供）

限なくつづくと、脚や腕が極端に太くなり、変形していきます。皮膚の表面が硬くなり、象の皮膚に似てくるために「象皮症」とよばれます。皮下組織にある膠原線維が異常に増殖することが原因です。

　リンパ浮腫では細菌感染を起こしやすく、蜂窩織炎やリンパ管炎を再発します。また、むくみの部分に貯留する液のためにリンパ管壁に小さな穴があき、そこから透明な黄色い液が流れ出るリンパ管瘻《ろう》や限局性潰瘍、さらに角質層、滲出液、血液、膿などが乾いて固まる痂皮《かひ》形成などの合併症が生まれます。

　チェンソーなどの振動機械を長期間使用することによって、振動障害として手足の血管収縮による血管性運動神経障害が生じることがあります。血管の痙攣《けいれん》性収縮が起こるもので、職業病とされています。主として血行不良によって指先が白蠟《はくろう》のように白くなることから、「白

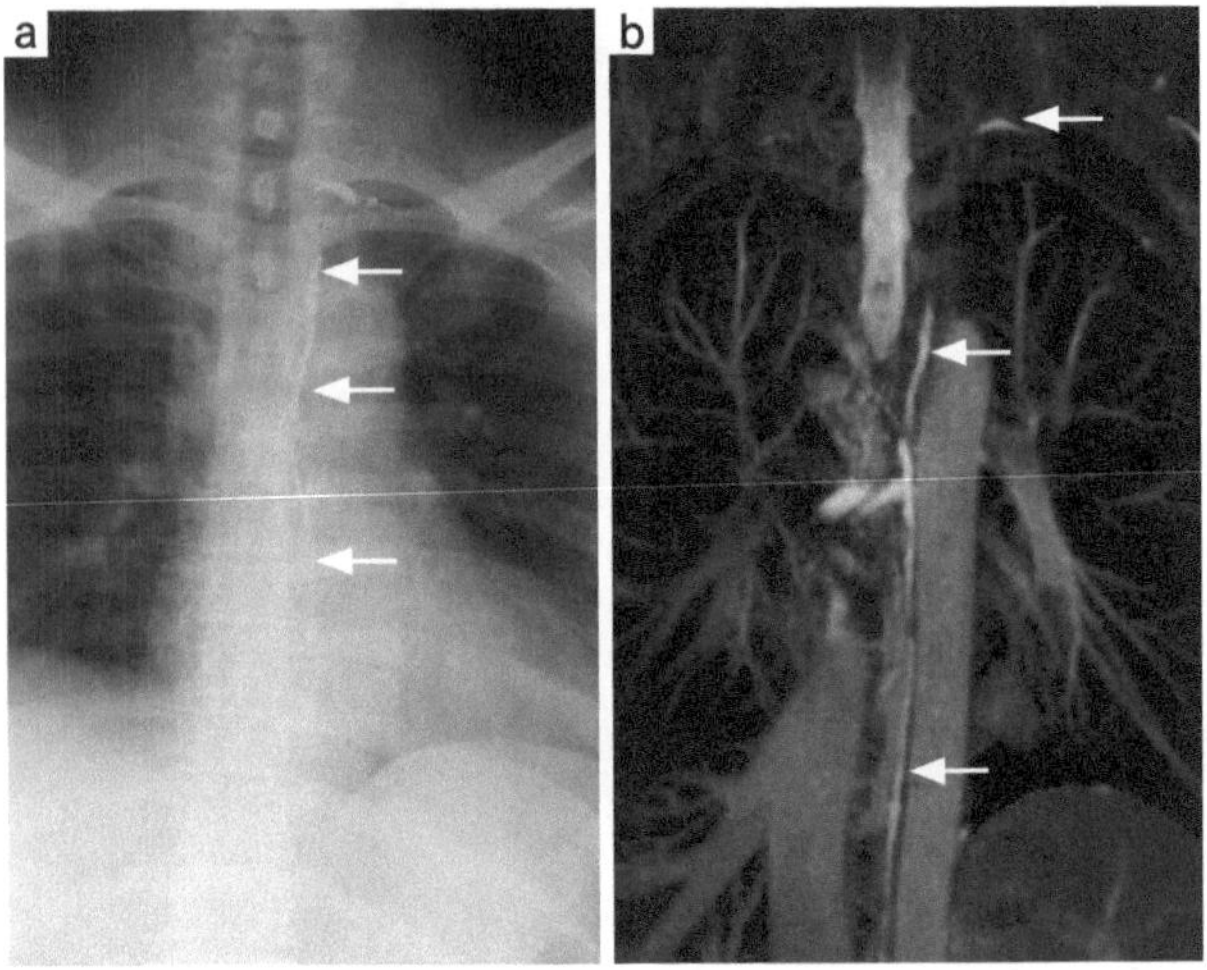

図5－6　リンパ管（胸管、矢印）のX線造影像（a）とMRI画像（b）
（a：大分大学医学部放射線医学講座提供、b：東芝メディカルシステムズ・宮崎美津恵先生提供）

蠟病」という名称があります。

長年放置すると、象皮症のように膠原線維が異常に増殖して手が冷たくなり、神経も障害されます。振動作業の後、ていねいなマッサージを施して血液やリンパの流れをよくすることで、症状の進行や悪化をある程度防ぐことができます。

リンパ浮腫を画像診断する

どの時点からリンパ浮腫が発症しているのかという明確な判断は、案外難しいものです。先に浮腫の状況を確認する方法を説明しましたが（141ページ図5－2参照）、図5－4に「リンパ浮腫のセルフチェックポイント」をまとめました。

図5－5では、前述のリンパ浮腫の症

状の進行状況を、改めて症状レベルとして段階的に整理してあります。リンパ浮腫の症状の有無や、後述する周径測定の変化などが認められる時点では、すでにリンパ管自身や周囲の組織の退行が進んでいると考えられています。浮腫の症状が軽度のうちに、血液検査や画像観察などの技法による確定診断法の確立が望まれますが、二次性、続発性リンパ浮腫の発症の予測は、リンパ管の性状に生まれつき個人差があることに加え、リンパ流がどのような状況にあるかも関連するため、必ずしも容易ではありません。

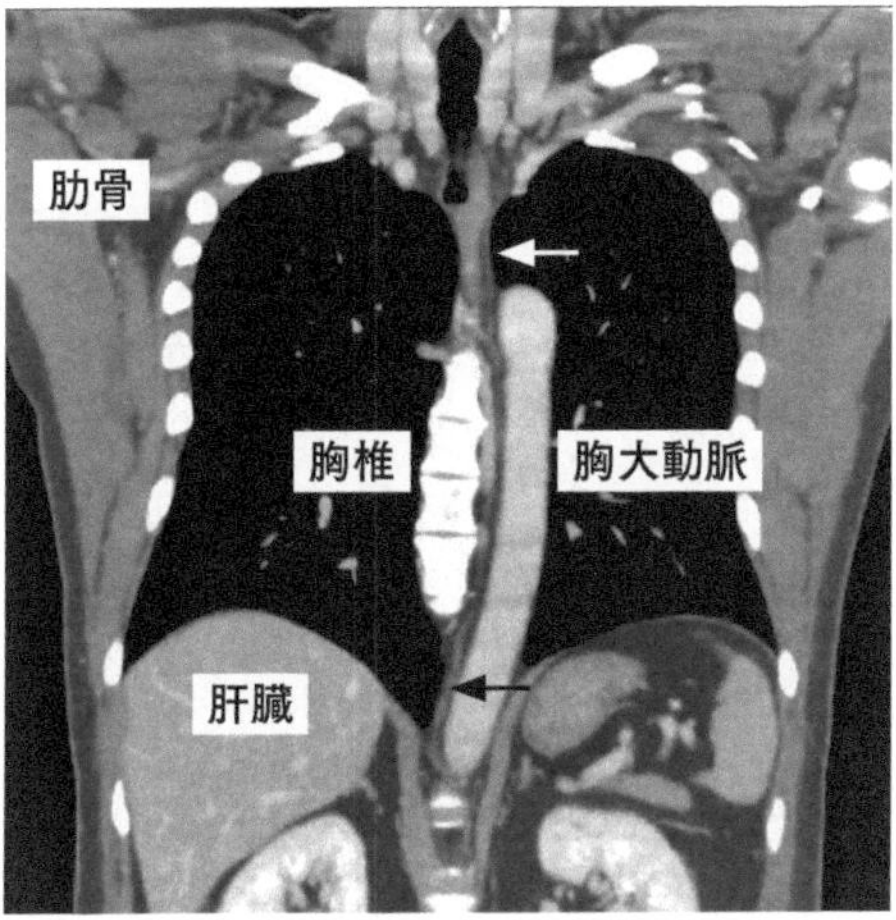

図5－7　リンパ管（胸管、矢印）のCT像（大分大学医学部放射線医学講座提供）

　リンパ浮腫の状況を、リンパ管の走行とリンパの流れから推察・診断するために、さまざまな画像観察が行われています。

①造影剤を用いた放射線像

　直接的なリンパ造影術――転移リンパ節やリンパ腫の検出に用いられます。色素を足の

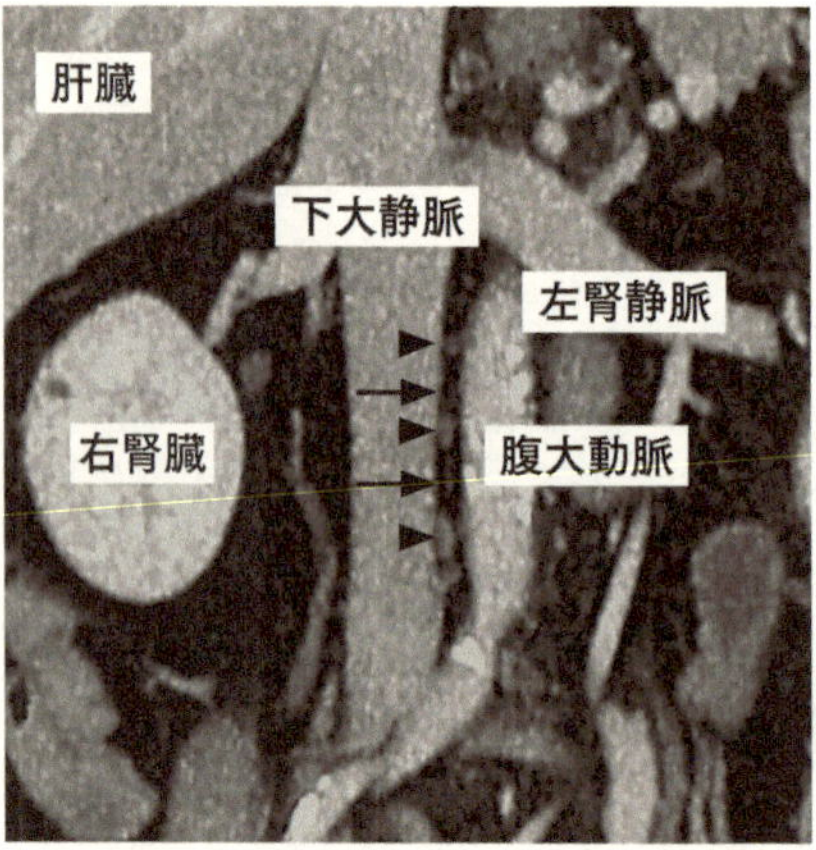

図5－8　リンパ管（矢印）とリンパ節（矢尻）のCT像（大分大学医学部放射線医学講座提供）

甲（背部）や手の背側部に穿刺注入してリンパ管を可視化し、極細の注射針で造影剤を注入します（図5－6a）。

間接的なリンパ造影術——造影剤として高濃度のヨウ素化合物を含み、浸透圧も血液や組織液に近い値の溶液を皮内に注入して造影するものです。間接法では、注入部位の液の貯留状況によって毛細リンパ管から排出する集合リンパ管の数や形を見るのに適しています。

②断層像

核磁気共鳴像（図5－6b）——核磁気共鳴像（MRI）は腫瘍学では標準的な方法ですが、浮腫の診断術としては常道ではありません。しかし、最近の機器の改良と撮像技術の進歩により、リンパ浮腫のある部位における皮下の脂肪組織と浮腫の水分をそれぞれ強調して示すことができるようになってきています。

X線CT像（図5－7、図5－8）——X線CTスキャンは、コンピュータ断層撮影法（C

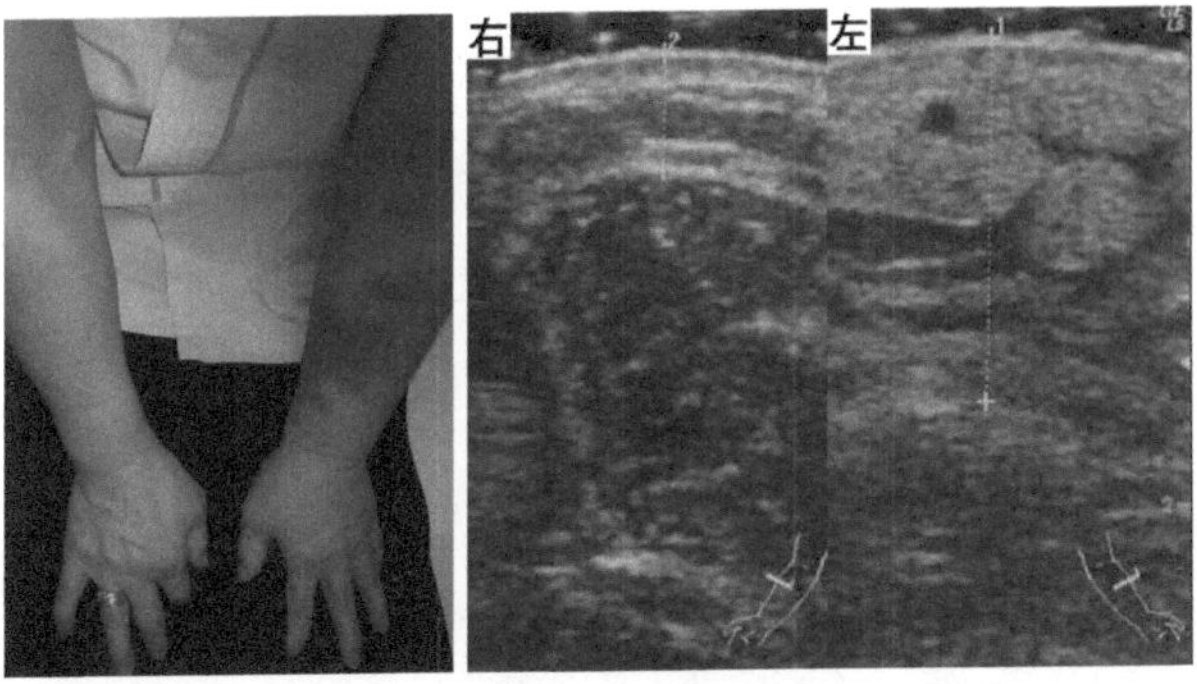

図５－９　乳がん術後の左上肢リンパ浮腫像（左図）とその左右上肢の超音波エコー画像（右図）（大分県厚生連鶴見病院院長・藤富豊先生提供）

Ｔ）のことです。被写体である人体を横断するように多方面からＸ線を照射し、人体をはさんで置かれた高感度の検出器が照射されたＸ線を受け、コンピュータで情報処理して断層像を得る方法です。最近では、高速ラセン走査型ＣＴ（ヘリカルＣＴ）が開発され、診断能が向上しています。骨盤や後腹膜や縦隔のリンパ路と同様、腹腔や後腹膜の腫瘍の画像を見るには基本的な機器であり、腫瘍やリンパ浮腫の診断に欠かせない技術です。

余談ですが、臓器の画像診断としてのＸ線ＣＴ法（１９７９）とＭＲＩ法（２００３）には、それぞれ機器の開発と臨床応用に対して、ノーベル生理学・医学賞が授与されています。

超音波エコー画像（図５－９）――リンパ浮腫の診断の過程で、超音波診断術は鼠径部などのリンパ節の触診後に用いられる画像診断です。傍腹大動脈や傍大静脈のリンパ節とともに、肥大した腸リンパ節や腋窩リンパ節

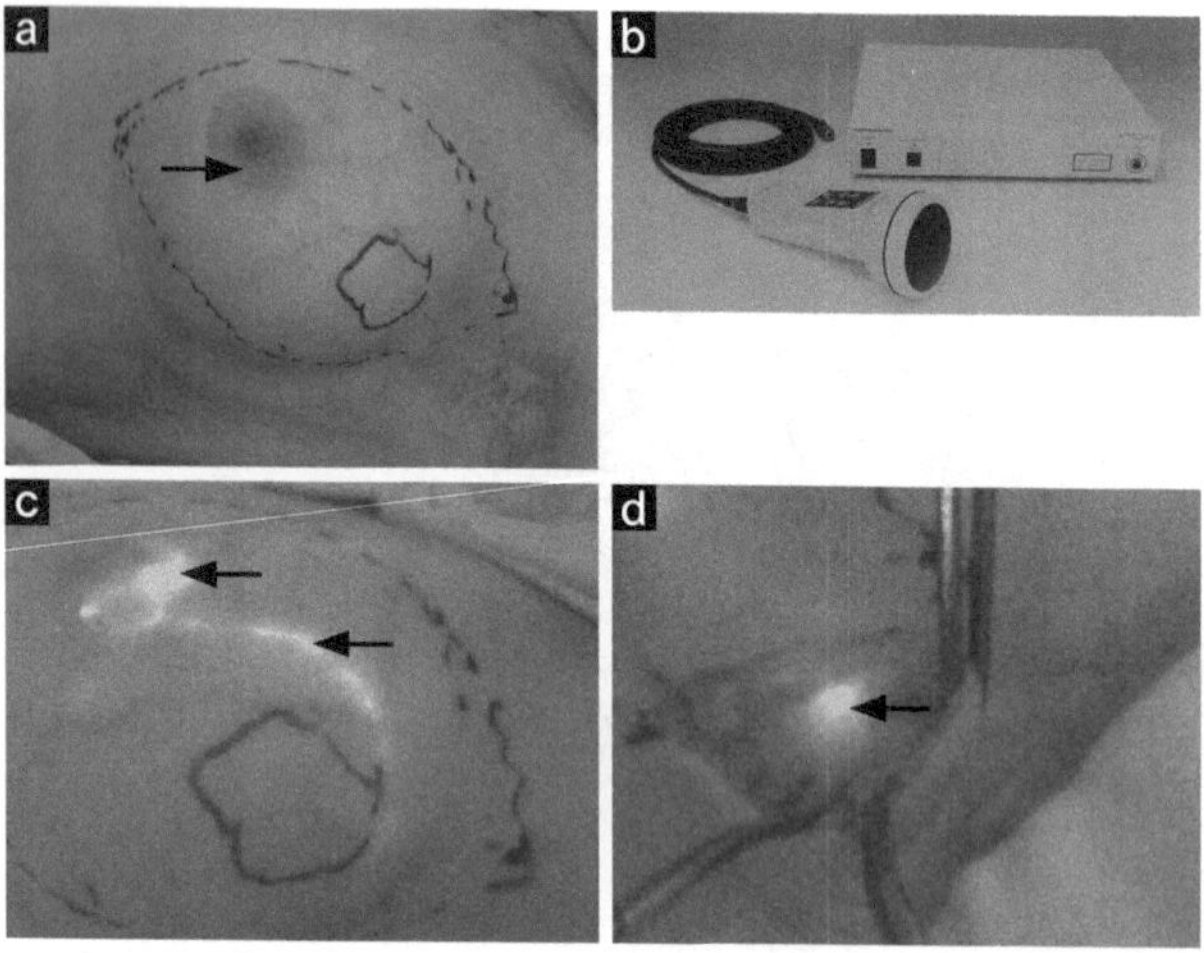

図5－10　ICG蛍光法によるリンパ管の造影検査　a：乳房(乳輪)皮下へのICG蛍光色素の注射(矢印)、b：近赤外線観察カメラ(浜松ホトニクス)、c：近赤外線観察カメラによる皮下リンパ管(矢印)の皮膚表面からの蛍光映像、d：深部のリンパ節(矢印)の蛍光映像(皮膚切開)(大分県厚生連鶴見病院院長・藤富豊先生提供)

は、CTと同様、容易かつ確実に同定されます。図5－9の前腕のエコー画像では、健常な右側に対して、浮腫のある左側では明らかに皮膚の肥厚が認められます。

③放射性同位元素を用いた放射線像

放射性同位元素で標識した物質をリンパ管や腫瘍組織に注入して、取り込まれた標識物をガンマカメラで追跡するものです。安全性の高い水溶性CT造影剤を腫瘍部に注入して、途中のリンパ管経路とリンパ流を直接受けるリンパ節を真のセンチネルリンパ節として同定します（センチネルリンパ節については、220ページ参照）。

血液検査・尿検査	肝機能・腎機能・低タンパク血症の有無等を確認。
レントゲン検査	心不全や胸水の有無等を確認。
心電図	心疾患の有無等を確認。
超音波検査	静脈機能を確認し、皮下脂肪の厚さを測定することにより浮腫の状態も評価。
静脈造影	手や足の静脈内に薬剤を注入し、静脈の閉塞の有無を確認。
CT・MRI検査	患肢の浮腫の状態を確認する。また、原因となる疾患の状態も診断。特に、MRIはいろいろな方向からの撮影ができ、脂肪と水分がはっきり写し出されるため、浮腫の範囲や治療経過の観察に有効。
四肢別 体脂肪率測定	患肢の体脂肪率を健常肢と比較することで、貯留している水分量を測定することが可能。

図５－11　リンパ浮腫の外来検査（リムズ徳島クリニック院長・小川佳宏先生提供）

④色素・ＩＣＧ蛍光法

直接的なリンパ造影――色素を足の甲（背部）や手の背側部に穿刺注入してリンパ管を可視化し、極細の注射針で造影剤（色素など）をリンパ管に直接注入します。油性の造影剤を用いると、弁と弁のあいだの節となるリンパ管分節がはっきりしたリンパ管像として見ることができます。ただし、油性の造影剤は肺循環系で微小塞栓を起こす副作用の可能性があるため、心臓や肺に疾患のある患者ではわずかながら危険性があります。したがって、腹部超音波診断やＣＴで十分な映像情報が得られないケースに適用されます。

間接的なリンパ造影――近年、リンパ浮腫の診断に重要な方法として注目されてい

	リンパ浮腫	心不全・腎不全・肝臓機能障害等
部位	下肢の場合、片側性もしくは左右差のある両側性。上肢の場合は大半が片側性。	多くは両側の下肢が同じようにむくみ、胸水・腹水を伴う場合もある。上肢や顔面に見られる場合もある。
触診	発症初期はやわらかいが、進行すると圧迫痕の残らない硬いむくみになる。	圧迫痕の残るやわらかいむくみ。
薬剤効果	利尿剤によるむくみの解消は少ない。浮腫を改善する特効薬はない。	利尿剤が効果的。ただし、肝硬変などタンパクが減少して見られるむくみには効果が少ない。

図5－12　リンパ浮腫の鑑別診断(リムズ徳島クリニック院長・小川佳宏先生提供)

ます。適当な水性の造影剤を組織間隙に注入し、吸収する毛細リンパ管を経由して前集合リンパ管や皮下の集合管を流れる造影剤を検出してリンパ管の流れを確認します。用いる造影剤には、高濃度のヨウ素化合物が含まれ、浸透圧も血液や組織液のそれに近い値とされています。

間接法は、注入部位の液の貯留状況、つまり毛細リンパ管（起始部）やリンパを排出する集合リンパ管の数と形を見るのに適しています。リンパ浮腫では、リンパ節活性の消失や低下とリンパ管像の不明瞭化が起こります。リンパ管造影により、リンパの皮膚逆流現象は、浅集合リンパ管の閉塞に伴って生じた集合リンパ管の弁不全が原因と考えられています。

近年、リンパ浮腫患者に対し、インドシアニングリーン（ICG）という蛍光物質を注入し、赤外線

	リンパ浮腫	深部静脈血栓症
原因	リンパ管の形成不全や手術による閉塞など。	骨盤内や大腿部での静脈本幹の閉塞。
部位	片側性・両側性とも見られる。	大部分片側性に見られる。
発症	大部分がゆっくりと発症する。	急激に発症し、皮膚の色調変化や痛みを伴うことが多い。
進行	大部分がゆっくりと進行する。	急激（数時間）に進行する。
合併症	約半数に蜂窩織炎が見られる。	静脈瘤が見られたり、浮腫が続くとリンパ浮腫を合併する場合がある。蜂窩織炎は稀。

図５－13　リンパ浮腫と深部静脈血栓症の違い（リムズ徳島クリニック院長・小川佳宏先生提供）

カメラで撮影する近赤外蛍光リンパ管造影検査法が開発されました（図５－10）。ＩＣＧ蛍光法は放射線の被曝がないため、低侵襲で簡便なリンパ浮腫の定性的評価法として重視されています。この方法により、四肢や体幹で脂肪層に存在する集合リンパ管の描出・検索が容易となり、実際にリンパ節郭清前のリンパ流の比較観察から、リンパ障害の重症度の予測や治療方法の決定に効果を発揮しています。

近年、リンパ浮腫外来を置く病院が増えており、その外来検査では、血液検査やレントゲンなどの一般検査のほかに、必要に応じてさまざまな検査が行われます（図５－11）。リンパ浮腫と区別しなければならない他のむくみ（心不全・腎不全・肝臓機能障害など）との鑑別診断も重要です（図５－12）。また、リンパ浮腫とよく間違えられる深部静脈血栓症との違いにも注意する必要があります（図5－13）。

5－3 リンパ浮腫をどう治療するか

保存的治療

保存的治療はドイツなどで古くから実施されてきている最も基本的な治療法です。患部にメスを入れたり縫ったりすることなくそのまま保存し、一般に認められている医療行為によって患者の機能を回復させる治療です。

この方法の狙いは、浮腫を患っている四肢に貯留した組織液や流れの滞ったリンパを排出することにより、体液環境と皮膚状態を改善し、浮腫を軽減することです。併発する炎症の頻度を抑え、発症しても多くの場合軽症ですみます。運動制限も改善されるため、ＱＯＬの向上につながり、精神的苦痛の緩和も期待されます。

具体的には以下の４項目を実践するもので、複合的理学療法（保存的リンパ浮腫治療法）とよばれています。

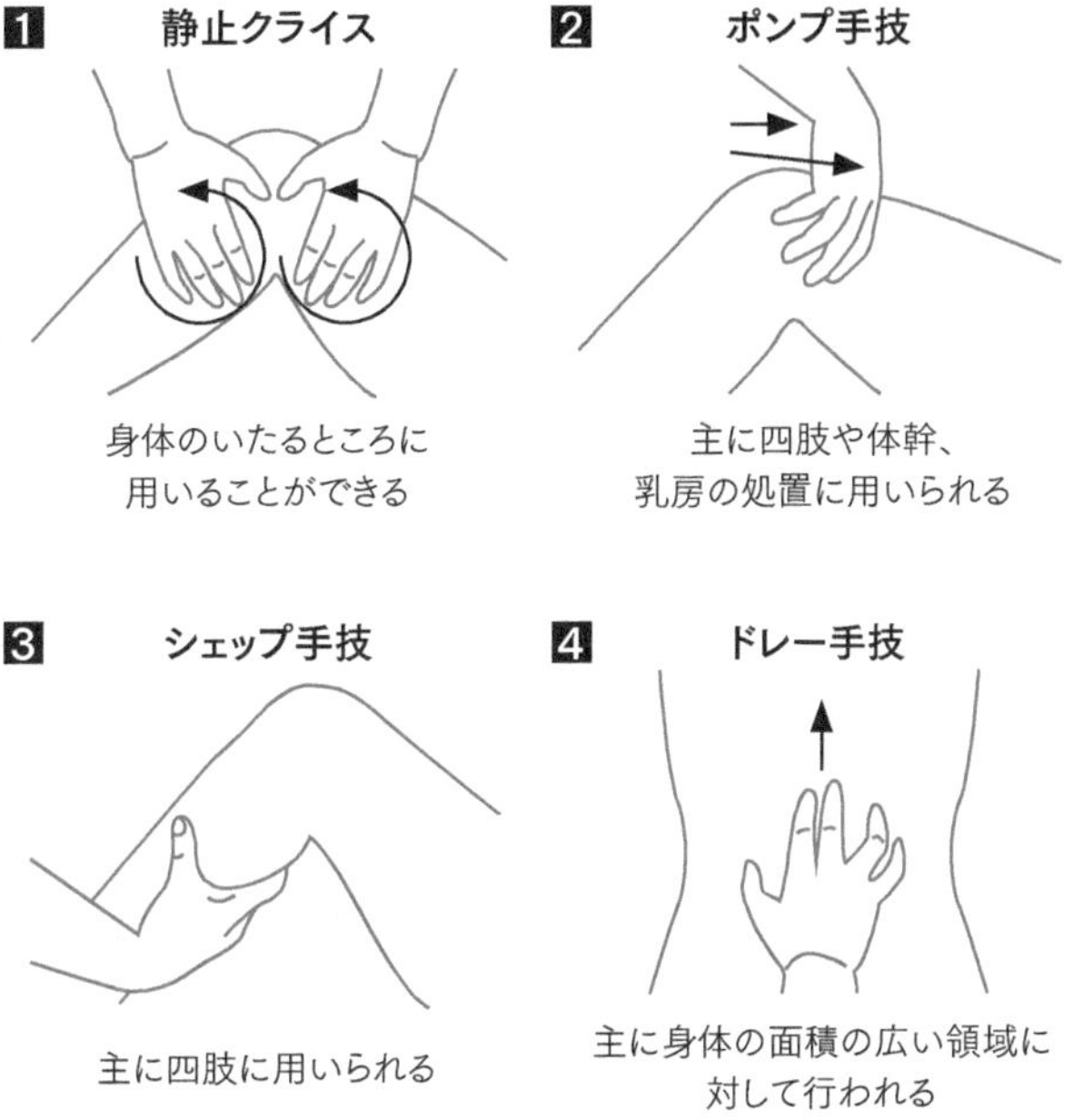
1 静止クライス
身体のいたるところに
用いることができる
2 ポンプ手技
主に四肢や体幹、
乳房の処置に用いられる
3 シェップ手技
主に四肢に用いられる
4 ドレー手技
主に身体の面積の広い領域に
対して行われる

図5－14　用手的リンパドレナージの4つの基本手技（後藤学園附属リンパ浮腫研究所提供）

①感染予防などのスキンケア

外傷に注意して水虫などの皮膚疾患を初期に治療し、皮膚の状態を管理する。

②用手的リンパドレナージ（図5－14）

手のひらを利用した軽めのやわらかいマッサージです。体表を軽く触れることは、生理的に触覚を刺激する効果があり、神経も鋭敏に反応します。タッチングの生理学とよばれるものです。

リンパ浮腫を起こした手や足に貯留したリンパを流し去るため、流れの悪いリンパ管から正常な働きをもつリンパ管に向かってリンパの流れを誘導します。ドレナージには「排液」という意味があり、むくみの原因である皮下のリンパを排液（排出）するということです。

リンパドレナージは、滞りやすいリンパの流れを活性化して老廃物をスムーズに体外に排出するもので、１９９５年にリンパ浮腫治療のコンセンサスとして、国際リンパ学会で採用されました。いわゆる美容マッサージとは異なります。

むくみを解消するには、まず第一に組織間隙の組織液を吸収しやすくすることが大切です。リンパ管網は皮膚の浅いところに分布し、リンパを輸送しているので、皮膚全体をやわらかく刺激して皮膚をずらすだけで組織液の吸収がよくなります。筋肉まで力を加えるマッサージは必要ありません。軽くやわらかくゆっくりと、そしてリズミカルにマッサージすることによって、より細いリンパ管内のリンパが移動して、管が空になります。空になったリンパ管は組織液を取り込む吸収力が高まるので、ドレナージの直後には患部が非常にやわらかくなります。

用手的リンパドレナージの効果としては、ⓐ組織液の流れを促してリンパの生成を促進する、ⓑリンパ管内の流動を活性化する、ⓒ皮下の組織間隙に線維化が起こることを防ぐ、ⓓ局部的に血管への圧力を高めることなく血液量を増加させる、などが挙げられます。

からだに分布するリンパ管網は、部位によっては互いのつながりが十分でないので、リンパの流れる方向も異なります。あたかも山岳で雨水が異なる水系に分かれて流れる分水嶺のように、

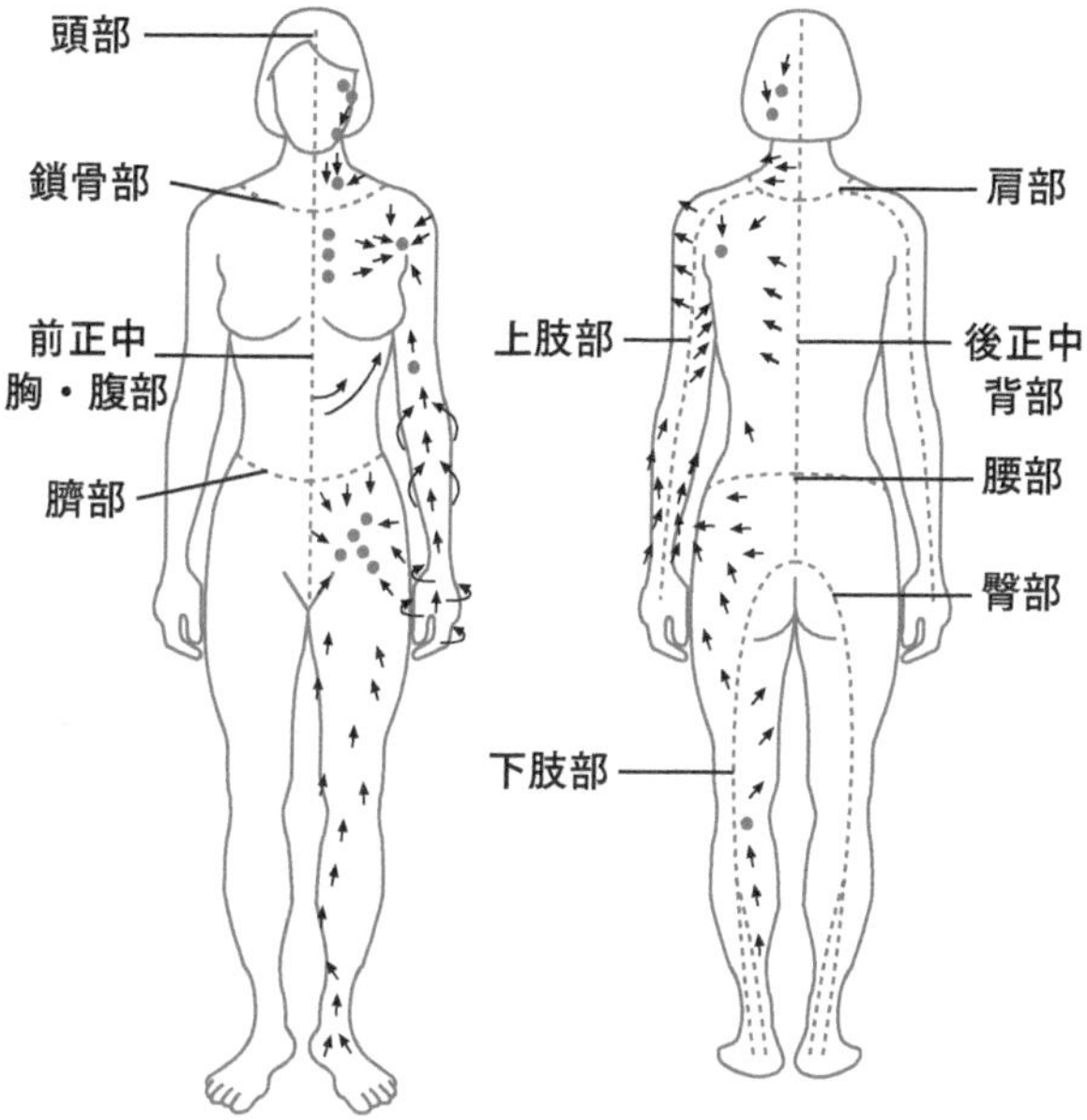

図５－15　体表リンパの流れ（リンパ分水嶺をラインで示す）（『リンパ浮腫治療のセルフケア』より改変）

体内においてもリンパの流れがある部位を境として区分される境界線がいくつかあり、「リンパ分水嶺」ともいわれています（図５－15）。

リンパ分水嶺を境としてからだの左右・上下に分かれ、頸部・腋部・鼠径部のリンパ節に流れ込みます。山岳で分水嶺を越えては水が流れないのと同様、リンパ浮腫の発生もリンパ分水嶺にしたがって浮腫の範囲が決まります。つまり、リンパ分水嶺をまたいだリンパ浮腫は起きないので、リンパドレナージの実施においては、まずリンパの流れる方向を確認し、さらに浮腫の部位と進行状況によってマッサージの回数を決めることが重要になります。

用手的医療マッサージについては、ドイツに留学していち早くこの方法を習得し、日本に紹介したセラピストの第一人者である佐藤佳代子先生が、リンパドレナージ療法後に、③で述べる従来の弾性包帯やスリーブ・ストッキングを用いて圧迫を加え、よりよい状態を保つ方法で治療効果を挙げています。

浮腫の治療に用いられているこのような医療リンパドレナージ療法が、慢性化した肩凝りによる偏頭痛を弱めるという治療例から、痛みの軽減にも効果をもつとする興味深い報告もあります。

③圧迫療法（バンデージ）

41ページ図1－13で説明したように、リンパの流れはリンパ管分節における弁の状態とリンパ流量によって、分節を越えた逆流も起こります。用手的リンパドレナージができても、リンパの逆流防止のために十分な圧迫は必要です。

圧迫療法とは、弾性包帯やストッキングを用いた圧迫によって、逆流防止のみならず、静脈やリンパ管の筋ポンプ作用を活発にすることで患部の鬱血《うっけつ》を防止します。圧迫療法を行った場合と行わなかった場合との違いを、同一患部の同時治療で比較したデータは存在しません。したがって、圧迫療法の有効性を示す根拠は必ずしも明確ではありませんが、長年の治療実績によってある程度の効果が認められています。ストッキングやスリーブの着用による、身体的・精神的な負担についても、患者の意向と一致して効果が評価される場合は、この療法を継続することが推奨されます。

ただし、圧迫の強度によって、痺れや痛みが出ないこと、手足の動きに支障がないこと、足先が白くなったり（動脈閉塞）、鬱血したり（静脈閉塞）しないことなどに注意が必要です。

④圧迫したうえでの運動療法

リンパ管は、筋肉ではなく主に筋膜と皮下組織に存在します。そのため、筋肉運動だけでは効果が低いと考えられます。表面から圧迫して固定させ、その状態で運動することによって筋肉の動きが皮下組織を押し上げるようになり、リンパ管に対して筋ポンプ作用を効果的に働かせることができます。在宅でもケアできるよう、浮腫発症のできるだけ早い段階からセルフマッサージ／セルフバンデージを実行しながら生活上の自己管理を行い、継続的に取り組むことが重要です。

兵士と妊婦の共通点？

戦時中の日本陸軍の兵隊は、足首から膝の下（下腿部）に弾力性のある強い包帯のようなもの

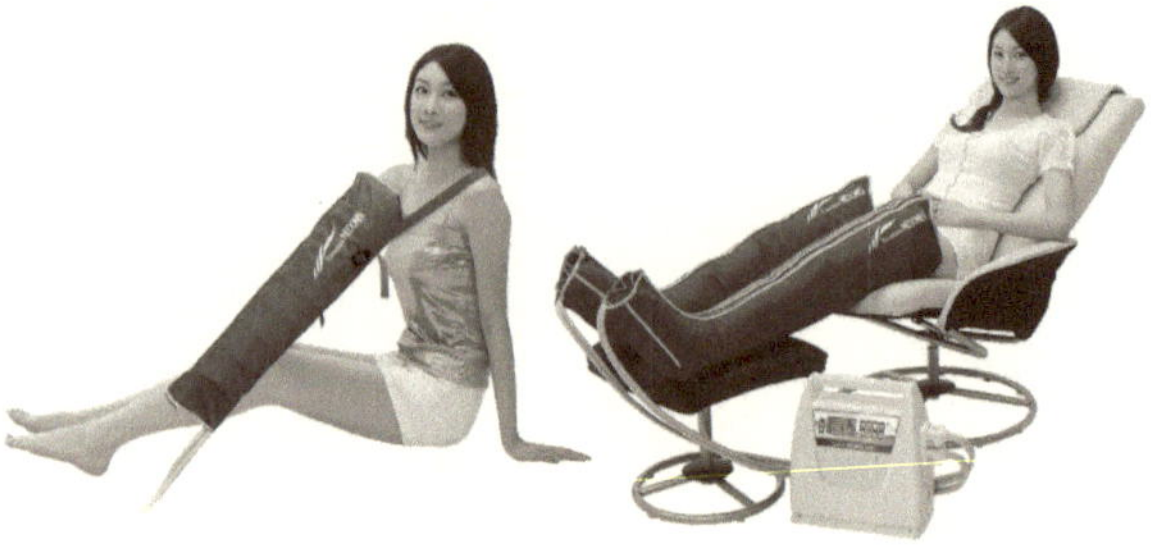

図5－16　家庭用エアマッサージ器（エクセレントメドマーEXM-12000A、メドー産業株式会社提供）

（ゲートル＝西洋式の脚絆《きゃはん》）をぐるぐる巻いて、長距離の行軍を行いました。ゲートルで足を締めつけることによって、下半身の組織に溜まった水分を血管やリンパ管により早く戻すための工夫です。

おもしろいことに、同様の方法が妊婦に対する医療現場でも用いられています。臨月が近づくと妊婦は動きづらくなり、大きくなってきた子宮が静脈を圧迫するため、どうしても下半身の静脈の血液の流れが悪化して足がむくみます。そのむくみを少しでも解消するため、弾力性のあるタイツなどで適度に足を締めつけることで、筋ポンプ作用を補助する効果を生んでいます。ただし、長時間締めつけるとかえって血液やリンパの流れが悪くなるので注意が必要です。

その他の保存的療法としては、温熱、振動、磁気、低周波などによる物理療法が試みられています。最近では、静脈血栓塞栓症の予防として間欠的空気圧迫法が開発されています。図5－16は四肢の空気式マッサージ器で、停滞した静脈血を体幹部に戻すことを目的として開発されたものですが、リンパ浮腫の治療にも応用可能です。

この方式では、全身的なリンパドレナージは行わず、リンパ節が障害されている鼠径部や腋窩部にリンパを誘導するだけですので、一時的な浮腫の軽減は見られますが、重力によってリンパが逆流して戻ります。そのため、このような器機による振動マッサージでは、終了直後から弾性着衣で十分な圧迫をすることが大切です。

リンパドレナージの補助的な役割として有効ですが、器機による圧迫が強すぎると患部組織の毛細リンパ管を損傷し、皮下でのリンパの漏出が起こって浮腫が強くなる危険性があるため、個人の体型に合った圧に調節して使用することをお勧めします。

外科的治療

保存的療法とは異なる発想として、外科的手術によって直接的・間接的にリンパ排出を誘導する治療法が研究されており、近年、顕微鏡下でリンパ管と細静脈をつなぐ「リンパ管細静脈吻合術」が開発されました。形成外科領域での超微小血管外科の技術を応用したもので、東京大学形成外科の光嶋勲らのグループによって開発され、精力的に実施されてきています。最近では、大分三愛メディカルセンター形成外科の浜田裕一のグループらも優れた治療効果を挙げています。

リンパ管細静脈吻合術は、集合リンパ管と皮静脈（いずれも直径約０・５㎜）を局所麻酔下で吻合し、リンパ流動を促進して局所に滞っているリンパを本来の循環系に戻すことで、浮腫の解消（根治的治療）を目指すものです。前述の圧迫療法との併用で、10年以上にわたる良好な経過観察が報告されています。従来、「リンパ浮腫は治らない」という考えがありましたが、予防・治療も夢ではなくなる可能性があり、今後の展開が期待されます。

リンパ浮腫予防のための生活術

日本におけるリンパ浮腫の多くは、乳腺や婦人科・泌尿器科領域のがんに対する腋窩や骨盤内の広範囲のリンパ節郭清（切除）や、放射線照射によって四肢に生じる後遺症です。

がんの手術例では、たとえば乳腺がんや子宮がんの手術後には15〜30％の割合でリンパ浮腫が起こりやすいとする報告があります。上肢のリンパ浮腫は乳腺がんの手術例が多く（約97％）、下肢のリンパ浮腫は子宮がん・卵巣がんの手術例が多く（約74％）なっています。前立腺がんや直腸がんの手術後にも見られるため、手術後にリンパ浮腫にならないように、腕や脚を使いすぎないこと、炎症を起こさせないことが必要です。

日常生活においても、リンパ浮腫の〝きっかけ〟をつくらないことが重要です。長時間無理な姿勢や体位を継続することや、腕や脚に虫刺されや小さな傷などによる炎症を起こさせないことが大切です。リンパ浮腫が生じたら、それ以上悪化させないよう、早めに医者の診断を受けて、日常生活の過ごし方を工夫するようにしましょう。

〝リンパ浮腫治療元年〟

多くのリンパ浮腫の患者たちは、誰にも相談することができず、倍近くも腫れ上がった腕や脚をもてあまし、途方に暮れて生活している状況にあります。浮腫治療の評価については、四肢周径計測が一般的に行われていますが、局所評価にとどまっており、全体の腫大評価としては適さないため問題が残っています。

周径値から体積近似値を換算する方法も用いられていますが、体積近似値のほうが実体積値より、10％以上過大な値となるため、体型による差異や客観性の低さが問題とされています。最近では、水量置換による腕全体の体積評価装置も開発されています。

リンパ浮腫の治療によって、患者や家族の肉体的・精神的苦痛をやわらげ、日常生活動作（ADL）や生活の質（QOL）の向上を図ることが大切です。そんななか、２００８年春、リンパ浮腫患者にようやく朗報がもたらされました。

リンパ浮腫治療として行われる圧迫療法に用いる弾性着衣や弾性包帯が、医療費扱い（医療費給付の対象）として保険適用になったのです。発症予防を目的とした患者教育のための「リンパ浮腫指導管理料」も新たに設定され、リンパ浮腫が予防と治療の両面から保険医療の表舞台に上がってきました。２００８年は、まさに〝リンパ浮腫治療元年〟ともいうべき新しいスタートの年になりました。

このような社会の動きに対応して、医師や看護師、理学療法士などの医療従事者たちがリンパ浮腫ケアについての専門的知識や技術を習得し、リンパ浮腫外来を立ち上げたり、緩和ケア病棟の中でリンパ浮腫に対して積極的にケアを提供するようになってきています。

たとえば、２００１年に開設した後藤学園附属マッサージ治療室（東京都新宿区）では、隣接するクリニックの心臓血管外科医と連携して、通院治療施設としてリンパ浮腫治療とケアを実施しています。関東地区の拠点として全国各地の医療機関から紹介を受け、診療情報提供書（患者紹介状）の発行元医療機関の主治医宛に、患者の治療経過や患肢周囲径値、セルフケアの実施状況等を記載した「治療経過報告書」で定期的に報告してくれています。また、遠方から来室した患者さんたちが、できるだけ暮らしの拠点である地元近郊で治療・ケアを継続できるよう、現地の医療従事者とも連携して対応しています。

２００３年より国立病院機構西別府病院（大分県別府市）では「むくみ外来」を立ち上げ、医師・看護師・理学療法士・管理栄養士らで構成されるリンパ浮腫治療チームによる複合的理学療法が行われています。同病院では、２０１２年に「九州リンパ浮腫センター」を設立し、全国で

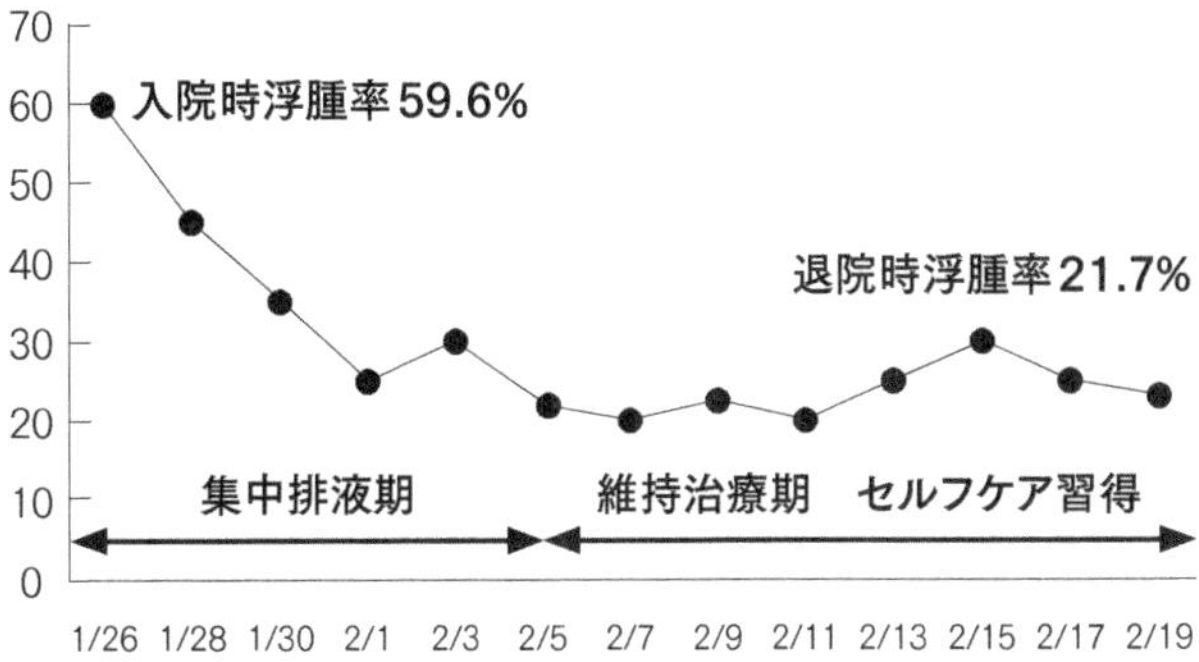

図５－17　医療リンパドレナージによるリンパ浮腫の治療（国立病院機構西別府病院・九州リンパ浮腫センター、2012提供）

も数少ないリンパ浮腫の入院治療（２～３週間）が可能な施設として注目され、医療リンパドレナージ治療（複合的理学療法）によって浮腫の改善に大きな成果を上げています（図５－17）。

入院治療は保険適用で、①スキンケア、②リンパドレナージによるリンパ液の流れの改善、③弾性包帯・着衣などを装着して、浮腫改善維持を行う圧迫療法、④圧迫下での運動療法、の４つを組み合わせた複合的理学療法を行った後、自宅でのセルフケアができるようになるまで指導しています。治療後の日常生活の注意点として、同センター長の唐原和秀医師は、「スキンケアや日焼け防止を心がけ、塩分を取りすぎたり温泉に長く入りすぎたりしないこと」などを呼びかけています。

同センターのリンパ浮腫認定看護師である宮本陽子氏（副センター長）は、長年の経験からリンパ浮腫の見分け方として、「皮膚の厚さ、乾燥、色、温度の変化や腕・脚の太さの違い」などを挙げ、「肩の凝りやだるさ、包丁や鉛筆を握りにくい」などを感じたときは医療機関に相談するよう勧めています。さらに、弾性包帯や着衣の使い方について、「大切なのは、患者個々の浮腫の状況に合った適切なものを使うこと」とアドバイスしています。

浮腫治療の未来

リンパ浮腫は、乳がん・子宮がん・前立腺がんなどの治療に伴って発症し、患者のQOLを著しく低下させる疾患です。いったん発症すると完治は容易ではなく、皮下組織の変化が始まる慢性期にいたってしまうと症状を改善させることすらきわめて難しい状況です。

しかし、早期から適切なセルフケアを開始して、継続して前述の治療法を行えば、悪化を防いで良好な状態を維持でき、ある程度の改善効果が得られます。ところが、リンパ浮腫に関する病態や看護・介護方法についての十分な知識をもった医療従事者が少ないため、「がんが治っただけでも儲けもの、浮腫ぐらい辛抱するように」とか、「命に関わるものではない」といった発想から、長いあいだ治療の対象とはされず、放置されてきた傾向にあります。

近年、がんの外科的治療の後遺症としてリンパ浮腫の発症リスクが高まってきていることから、リンパ浮腫の保存的療法としての「医療リンパドレナージ」の重要性が認識されるようになってきました。２００２年には、治療方法の開発と普及および浮腫の予防対策を目的として、ＮＰＯ日本医療リンパドレナージ協会（事務局・横浜市）が設立されています。同協会では、全国のリンパ浮腫で悩んでいる人々が安心して受けられる治療環境づくりを目指し、これまでに１３００名以上のセラピストを育成してきています。また、患者や家族の肉体的・精神的苦痛をやわらげ、日常生活動作や生活の質の向上、終末期医療における「緩和ケア」の支援などに努めています。

一方、共通の治療技術の高いレベルのケアを目指して、２００８年に一般社団法人リンパ浮腫指導技能者養成協会（事務局・福岡市）が設立されました。同協会では診療報酬改定で新設された「リンパ浮腫指導管理料」の指導内容に基づき、地域や施設における格差のない適切な診療・患者指導が実施されるよう医療環境の整備をしています。

今後は、広い医療領域で多方面の医療従事者、各々の国家資格者業務の範疇で連携して統一した治療・介護のできるセラピストの育成が期待されます。

リンパ浮腫の診療においても、他の領域と同様、科学的証拠に基づく医療（ＥＢＭ）の実践が重要です。近い将来、リンパ浮腫ケアのエビデンスが明確に示され、多方面の医療従事者たちによる一定レベルの診療・ケアがどこでも提供されることにより、欧米並みに保険適用が可能となることを強く願う次第です。

第6章

リンパと免疫のふしぎな関係

6－1 リンパとリンパ球

生体防御としての免疫系

ヒトのからだは体表（皮膚）を介して外界と接しています。また、消化器系や呼吸器系は、からだの内部ではあっても〝内なる体表〟として外界と接していますので、つねに多くの微生物やいわゆる異物（外来物質）にさらされています。

すべての生物体は、生きていくためにつねに安定した状態（恒常性）を保つことが必要であり、そのため外部からの異物（ヒトでは微生物など）の侵入を防がなければなりません。恒常性を維持するためのしくみの一つが「生体防御」です。生体防御のしくみには、非特異的な反応と特異的な反応の2種類がありますが、後者が、進化した生体防御機構である「免疫」です。

免疫は、体内に侵入した外来物質（微生物や毒素）に対して抵抗するしくみです。〝自己〟（自分自身のもつ物質）と〝非自己〟（外来物質）とを見分ける能力をもった細胞システムが免疫系です。実はリンパは、この免疫系において重要な役割を果たしています。リンパと免疫系との関係は、いったいどのようなものなのでしょうか？

リンパ球の誕生

本書ではここまで、単に「リンパ」というときには「リンパ液」を示しており、次項で紹介する「リンパ組織」は含んでいませんでした。「はじめに」で述べたように、リンパには、血液の血漿に相当する液体成分（リンパ漿）と細胞成分（主としてリンパ球）が含まれています。「リンパ」ということばは、血液と対比した際の、リンパ漿のきれいで透明な外観から名づけられたものでした。それでは、免疫担当細胞である「リンパ球」の名前は何に由来するのでしょうか？　リンパやリンパ球がいつ誕生したか、系統発生について見てみましょう。

リンパ管系が誕生するのは、血管の閉鎖循環系がほぼ確立される脊椎動物からです。リンパ球が観察されるのは脊椎動物の最初期、円口類からです。魚類や両生類など、比較的下等な（正確には系統発生上初期の）脊椎動物のリンパ管内には、赤血球や栓球以外の多種類の白血球が見られます。

ところが哺乳類になると、リンパ管内にある細胞のほとんどはリンパ球になります。第２章で述べたように、体液としてのリンパについては古くから観察され、〝白い血・白い管〟の名でよばれてきました。17世紀以降の顕微鏡を用いたミクロの観察から、細胞としての血球（赤血球・白血球）が明らかにされ、リンパ内にあってリンパ中の大部分を占める細胞として、「リンパ球」と名づけられました。しかし、当時はまだ、この細胞の機能は不明のままでした。実は、免疫の概念が生物学的に解明され始めたのは、比較的最近のことなのです。

リンパの流れと免疫反応

胸管やリンパ節の輸出リンパ管内のリンパは、免疫担当細胞である多数のリンパ球を含んでおり、全身をめぐって、局所の臓器における免疫反応に働いています。

実験用ラットを用いて胸管のリンパを一日中採取し、リンパ流を介して血管系に循環するリンパ数を調べた研究があります。その報告によれば、その数は実に、血中の全リンパ球を2〜3回更新するほど多量であることが明らかにされています。

胸管からのリンパ球の一日あたりの放出量は、からだの代謝状況から、ヒトではラットの10%程度と見積もられていますが、それでもリンパ節から胸管に流れるリンパは、免疫反応を起こすための免疫担当細胞の供給という観点から欠くべからざる存在であると推察されています。

なお、18ページ図1－4からもわかるように、リンパにおけるタンパク質の量、特に抗体の成分である免疫グロブリンは、血清に比べ約2分の1と少なくなっています。したがって、リンパの流れの液体成分（リンパ漿）は、免疫反応に関してはリンパ球における直接的な影響ほど著しくなく、むしろ局所組織の微小環境の調節に役立っているものと推測されます。

6-2 ミクロの戦士・リンパ球の働き

"ぐりぐり"の正体

免疫系の細胞は、からだ中の血液やリンパ、結合組織など、さまざまな組織や器官中に存在しています。免疫組織には、リンパ球を中心として胸腺やリンパ節、脾臓や骨髄などがあり、リンパ球を産生し、分化・成熟させる機能をもつことから中枢性（一次）リンパ器官とよばれます。一方、リンパ節や脾臓、消化器・呼吸器の粘膜に付属したリンパ組織（扁桃や虫垂、パイエル板など）は、末梢性（二次）リンパ器官とよばれています。

正確にいえば、組織の集まりが器官ですので、末梢性リンパ器官は粘膜関連リンパ組織として中枢性リンパ器官と区別しなければなりませんが、リンパ器官は、結合組織線維の網目状の構造をもとに、免疫担当細胞であるリンパ球や他の細胞が集積して構成されているため、総称してリンパ組織とよんでいます。

リンパ組織は体内における警備室のようなところで、細菌や異物などの抗原が入ってくると、まず警備員として最前線で働くマクロファージ（大食細胞）がそれらを取り込み、その情報がリンパ球に伝えられます。細胞に取り込まれた抗原は、リンパ管中のリンパに乗って近くのリンパ節に運ばれます。リンパ節内では「免疫戦争」（抗原‐抗体反応）が起こり、特異的な抗体（タンパク質）が産生されます。

抗原がどんどん増えてリンパ節の中のリンパ球などを攻撃し、「免疫戦争」が拡大すると、リンパ節内の免疫担当細胞が分裂・増殖し、リンパ節が肥大していきます。このとき、リンパ節の腫れに伴って痛みや発熱が生じる場合もあります（リンパ節炎）。風邪やのどの病気（感染症）の診断の際には、頸部の触診によってリンパ節の腫れ（ぐりぐり）が確認できます。

「細胞の終末の姿」と誤解されたリンパ球

一般に、各細胞における、核に対して細胞質の占める割合は、若い細胞ほど大きく、成熟するにしたがって小さくなる傾向があります。末梢血やリンパ組織における免疫系のスタープレイヤーであるリンパ球の大部分は、核に対して細胞質の占める割合がきわめて小さく、「免疫現象」（細胞性免疫能）が研究される以前の1950年代頃には、リンパ球は「すでに分化し終えた終末の細胞」と見なされていました。機能不明の、〝謎の白血球〟だったのです。

しかし、1960年代に入り、感染症などに対する複雑な免疫反応のメカニズムが調べられるにつれて、リンパ球が生体の免疫反応に直接関与していることが明らかになりました。リンパ球

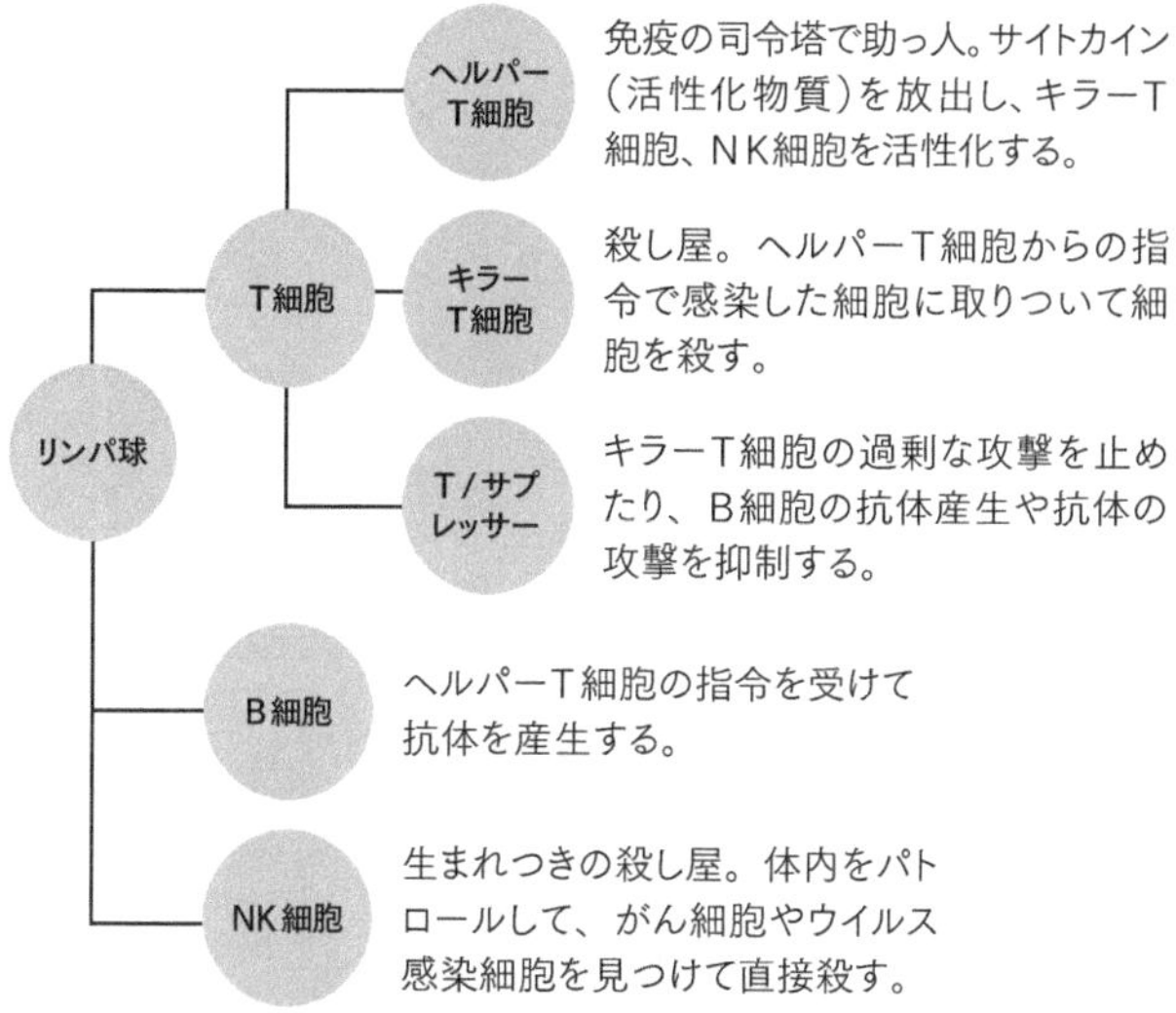
リンパ球
T細胞
ヘルパーT細胞
免疫の司令塔で助っ人。サイトカイン（活性化物質）を放出し、キラーT細胞、NK細胞を活性化する。
キラーT細胞
殺し屋。ヘルパーT細胞からの指令で感染した細胞に取りついて細胞を殺す。
T／サプレッサー
キラーT細胞の過剰な攻撃を止めたり、B細胞の抗体産生や抗体の攻撃を抑制する。
B細胞
ヘルパーT細胞の指令を受けて抗体を産生する。
NK細胞
生まれつきの殺し屋。体内をパトロールして、がん細胞やウイルス感染細胞を見つけて直接殺す。

図６－１　種々の免疫担当細胞とその特徴

は今や、免疫を担当する〝ミクロの戦士〟として「免疫反応」という劇場の主役に躍り出たのです。図６‐１で、個性あるリンパ球のさまざまな素顔（亜集団）をご紹介します。

　リンパ球には、免疫系の中心的器官である胸腺（Thymus）で成熟する「Tリンパ球」（胸腺由来T細胞）と、骨髄で成熟する「Bリンパ球」（骨髄由来B細胞）の2種類があり、免疫担当細胞として脚光を浴びてきました。TとBの二つの細胞群は、免疫機能細胞論的には、T細胞が移植免疫や遅延型アレルギー反応など「細胞性免疫」を、B細胞が抗体をつくって抗原を攻撃する「体液性免疫」をつかさどると区分されています。

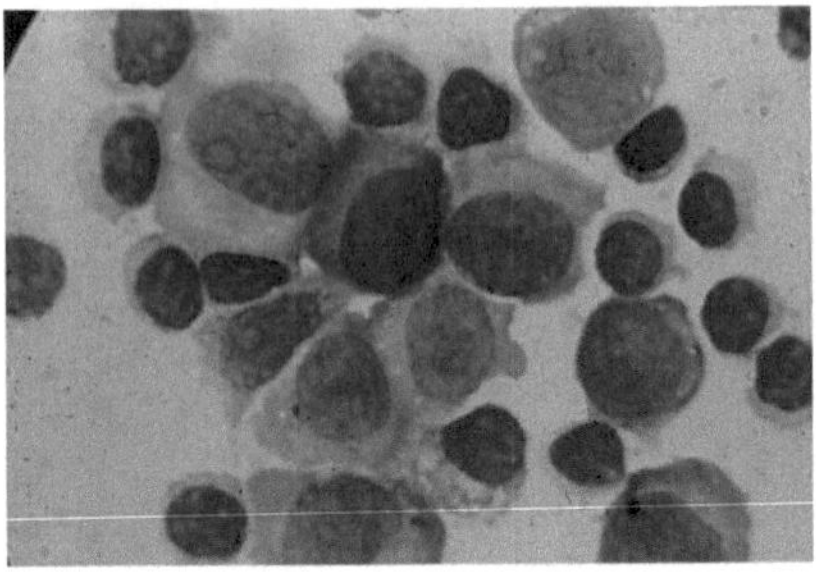

図6－2　ヒトの培養リンパ球の芽球化現象（筆者の医学博士学位論文、1978図譜より）

遅延型アレルギー反応とは、T細胞のグループで特殊な機能をもつキラーT細胞と、活性化されたマクロファージの過剰反応による組織障害を指します。薬品や金属、うるしなどによる、いわゆる「かぶれ」としての接触性皮膚炎や、結核菌に対する防衛反応の程度を見る検査としてよく知られているツベルクリン反応などがこれにあたります。

20世紀後半に入ってから、ヒトの血液中のリンパ球を細胞分裂促進剤とともに培養する実験が行われました。その結果、リンパ球は非特異的に反応してしだいに肥大化し、2～3日後には細胞質の広い大型のリンパ芽球《がきゅう》（芽球化リンパ球）といわれる細胞へと変化して、分裂することが明らかになりました。

それ以前は、リンパ球は最終的に分化・成熟した血球であり、それ以上は分裂・増殖しないものと考えられていたため、驚くべき発見でした。〝血球の先祖返り〟ともいうべきこの現象は、「リンパ球の幼若化・芽球化」とよばれ、当時たいへんな注目を集めました。

35年以上も前の古い話ですが、筆者は当時、博士論文のテーマとして〝培養系でのリンパ球反応の研究〟を行っていました。採血した自身の末梢血を遠心分離機にかけて効率よくリンパ球を他の血球から分離し、分裂促進剤を加えた培養液中で37℃に保ち、3日間培養して観察しました（図6－2）。この培養系では、健常人の生体の末梢血中では決して見られない大型のリンパ芽球が出現しますが、このようなリンパ球の芽球化反応は、生体の局所において、抗原刺激に対する特異的免疫反応として起こる現象でもあります。

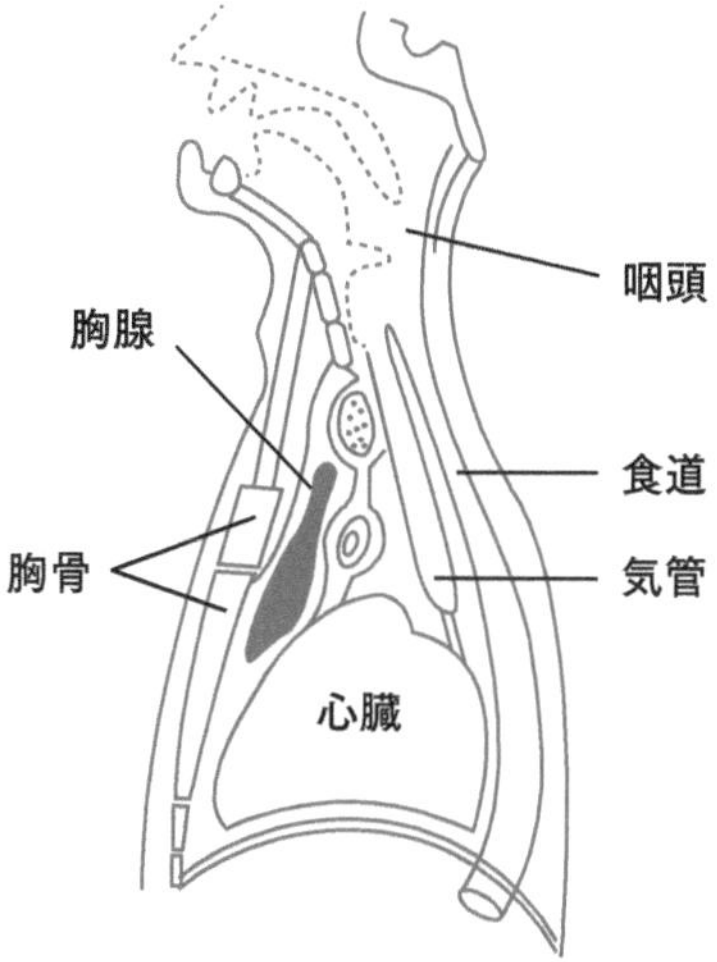

図6－3　ヒトの胸腺の位置（模式図、縦隔の最上部で胸骨の後ろ）

リンパ球を育てる「免疫学校」 ——胸腺

ヒトの心臓の前方（前縦隔）に、「胸腺」というリンパ器官があります（図6－3）。発生の途中では、もともとは喉の奥のところ（咽頭嚢）にあったものが、頸を経由してしだいに下降して胸のところに位置を変えたもので、免疫反応の中心的役割を担っています。

この器官が生まれつき欠損しているか、

実験的に摘出した動物では免疫が成立しない（感染死する）という事実から、免疫反応（細胞性免疫）における胸腺の重要性が明らかとなり、中枢性リンパ器官とよばれるようになりました。

このリンパ器官は、新生児では重さ約10gで生後2～3年で急成長し、思春期前には30～40gにも達します。おもしろいことに、思春期を経て成人になると、性ホルモンの影響を受けて退縮し、リンパ球はほとんどなくなって、結合組織に置き換わってしまいます。

中枢性リンパ器官がそのような運命をたどって大丈夫かと不安になるかもしれませんが、心配は無用です。若いときに胸腺で育ち、成熟して全身に巣立ったリンパ球が、免疫担当機能を果たしてくれるからです。

つまり、胸腺というところは、未熟なリンパ球を成熟させる、いわば「免疫学校」なのです。そこで、その「免疫学校」を訪ね、もう少し詳しく教育現場のようすを見てみましょう。リンパ球の集団はどのようにして分化・成熟し、成熟T細胞になるのでしょうか？

厳格な卒業試験

胸腺の発生の早い時期に、すでに骨髄でつくられていた未分化・未熟なリンパ球が、リンパ管のない骨髄から血管に入り、循環血液に乗って一部、胸腺に入ります。

胸腺内では、そこにある特殊な細胞や液性因子の働きによって骨髄から来たたくさんの幼い未熟なリンパ球を〝教育〟し、免疫担当能力をもつリンパ球へと分化・成熟させます。教育を受けても成熟しない未成熟なリンパ球は胸腺内ですべて殺され、成熟したリンパ球のみが、この免疫学校からの卒業を許され、胸腺から巣立つことができるのです。

胸腺という学校の教育現場は、たいへん厳格で恐ろしい（？）のです。少し専門的になりますが、胸腺という「免疫学校」での教育のようすをもう少し詳しく説明しましょう。

胸腺では、骨髄にある胸腺細胞になる前の未分化の細胞が血液に乗って組織の表面を覆う被膜下に入ります。この段階ではまだ、これら細胞の表面に特徴的な表面分子タンパクのほとんどは発現していません。

細胞は、胸腺被膜の直下にある胸腺皮質から下層の髄質に向かって進入し、胸腺内にある細網細胞などの間質細胞との相互作用によって、Ｔ細胞独自の特異的な表面抗原分子を獲得し、細胞表面に発現するようになります。これが「主要組織適合遺伝子複合体（ＭＨＣ）」とよばれるもので、からだを構成する多くの細胞がもつ個々に特有の遺伝子部分なのです。

ＭＨＣ分子は、いわば細胞表面に貼られた名札であり、「身分証明書」であると同時に「こんな細胞が来ている」という抗原提示を行う働きをもちます。たとえば、臓器移植の際に、臓器の受容者（レシピエント）は提供者（ドナー）の臓器・細胞を異物（非自己）と認識し、免疫応答による拒絶反応を起こしますが、このとき重要な働きをするのがＭＨＣの産物であるヒト白血球抗原（HLA）です。

胸腺内でのリンパ球の成熟過程において、未熟なリンパ球は自己の抗原MHC分子に対して、適当な親和性（結合力）をもつように育てられます。T細胞受容体（TCR）をもつ細胞、つまり成熟リンパ球のみが選択的に生かされて、他の大部分は死んでしまいます。この現象を「アポトーシス」（プログラムされた細胞死）といいます。最終的には、特殊な細胞表面抗原（CD4またはCD8）を有する成熟リンパ球（T細胞群）だけが胸腺から出ていきます。

自己と非自己の認識、つまり外来抗原の認識などの免疫応答の際に、中心的な役割を担うのがT細胞（胸腺由来リンパ球）です。胸腺内で分化・成熟した後、末梢に移行した成熟T細胞は血管やリンパ管を循環し、二次リンパ器官である脾臓やリンパ節、パイエル板などに分布します。

コラム　リンパ組織の〝元締め〟と香草の意外な関係

胸腺は英語では「thymus」、ドイツ語では「Thymus」といいます。

昔からエーゲ海の島々ではタイム草（thymos〈thyme〉）とよばれるシソ科の植物が生息しており、〝薄れゆく意識をよみがえらせ、生命力を象徴する草〟として珍重されてきました。

タイム草は高さ10～15㎝で細い茎が地面から斜めに伸び、先端に紅紫色の小さな花をつける可憐な草で、和名では「タチジャコウソウ」とよばれています。

タイム草の葉や茎が強い香りを発するため、昔からさまざまなことに使われています。たとえば、この草を焚いて害虫を追い払ったり、香草として料理に用いられたりしていました。日本でも、料理用のハーブスパイスとして、ローストビーフやブイヤベースなどに使われています。

中世の解剖学者が初めて「胸腺」を発見したとき、その表面の凹凸の形がちょうどタイム草の花芽に似ていたこと、また、フランス料理の食材として用いた〝胸腺〟の香りがタイム草の香りと似ていたことなどが、その名の由来と考えられています。

再教育の機会はないのか

胸腺の組織の特徴の一つは、血管網がよく発達していることです。図6－4に、マウスの胸腺の血管分布の三次元構造を、光学顕微鏡と電子顕微鏡で観察した像を示します。

それでは、リンパ管系のしくみはどうなっているのでしょうか？　胸腺におけるリンパ管系には外部から入るいわゆる輸入リンパ管はなく、輸出リンパ管のみであることは、後述する扁桃や

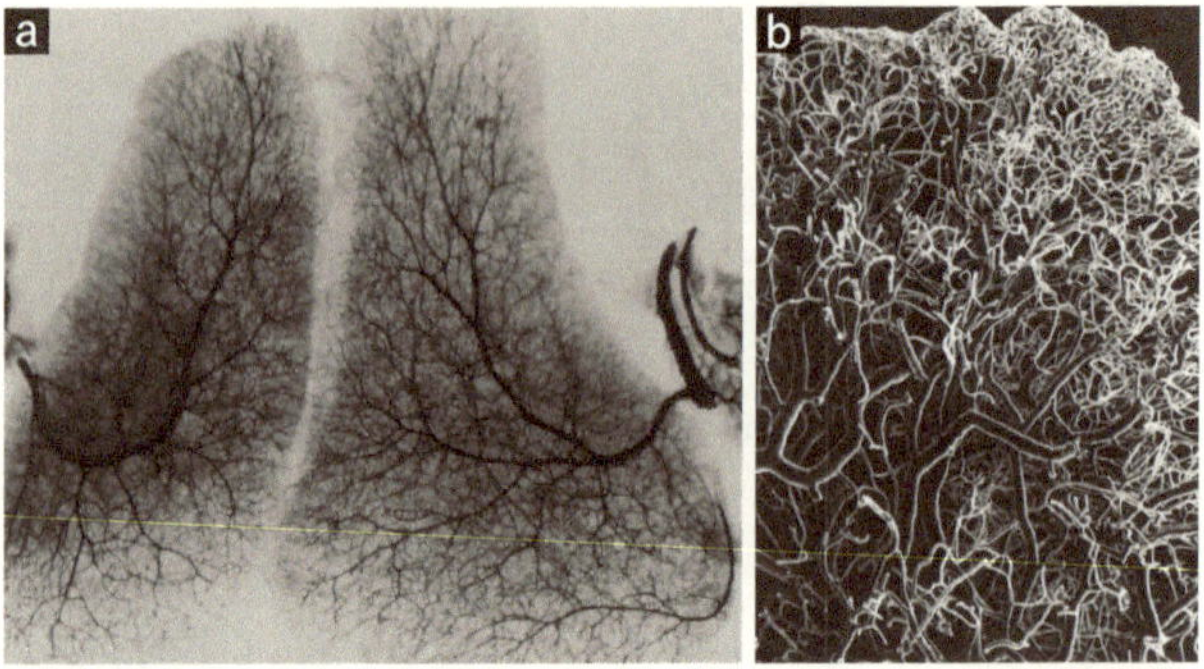

図6－4 マウス胸腺の血管分布の三次元構造　a：シリコンラバーを血管に注入した標本の光顕観察、b：レジンを注入した血管樹脂鋳型標本のSEM観察

パイエル板などのリンパ組織と似ています。

胸腺内で成熟したリンパ球は、どのような経路（静脈とリンパ管）を経てこの「免疫学校」を卒業し、末梢のリンパ組織という〝社会〟に出ていくのでしょうか。胸腺に輸入リンパ管がないということは、この「免疫学校」には再入学制度はないのでしょうか？

胸腺組織内に分布する微小循環、すなわち血管・リンパ管における血液・リンパの循環系のしくみ、特に胸腺内のリンパ流の具体的なメカニズムは必ずしもよくわかっていませんが、ここでは筆者の研究を中心に紹介しましょう。

胸腺内の輸出リンパ管は、胸腺の表面を覆う被膜と、それが中に入り込んで胸腺を小葉という区画に分ける小葉間結合組織の部位によく見られます（図6－5）。さらに、被膜より中の胸腺実質表層の皮質と深層の髄質との、いわゆる皮髄境界部に分布する静脈の血管周囲腔と連続した不規則な管腔としてのリンパ管が見られます（図6－6）。

特に、実験的に放射線を照射したり、ステロイドホルモンを投与したりして、短時間で急激に退縮させた胸腺では、組織内のリンパ球の急速な壊死の一方で、リンパ管を経由する著しいリンパ球の流出が認められます。一時的な免疫能の維持のためか、あるいは胸腺の再構築（修復）のためか、現時点では定かではありませんが、非常に興味深い現象です。

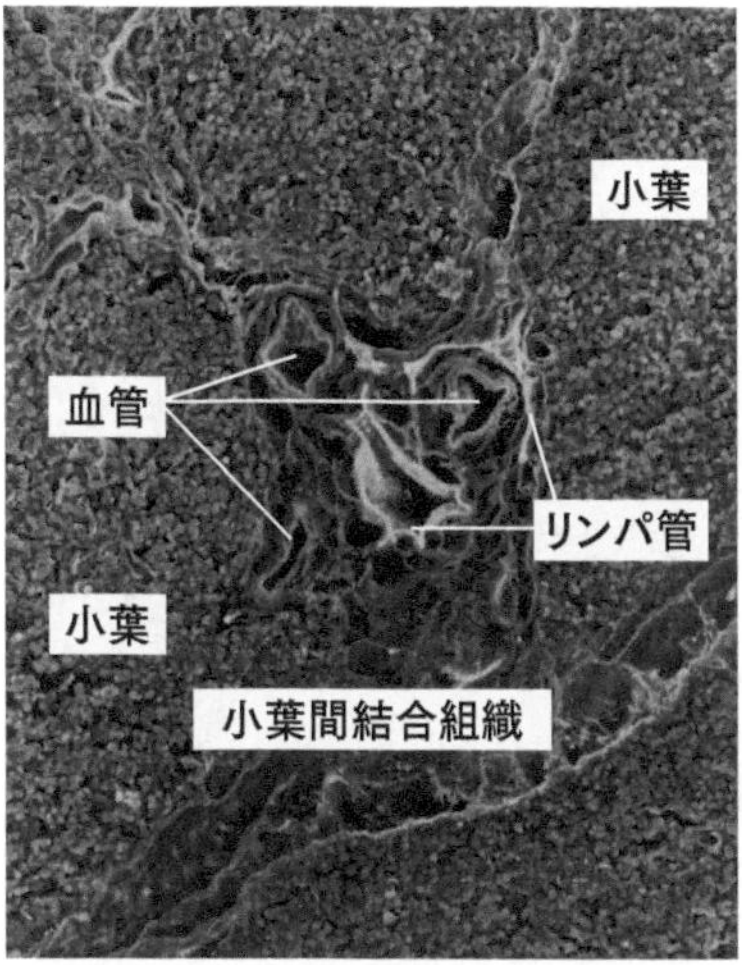

図6－5　マウスの胸腺の小葉間結合組織のリンパ管と血管（組織化学SEM像）

胸腺の輸出リンパ管のリンパは、付近の気管・気管支リンパ節、気管支縦隔リンパ節を経由して胸管に入ります。リンパ球が胸腺から循環系に放出されて循環することはわかりますが、体循環を経由して血流に乗ってどの程度再循環し、胸腺に戻るかは不明です。

輸入リンパ管がない胸腺では、リンパ球は胸腺動脈を経由して胸腺に入り、循環して胸腺静脈から出ていきます。リンパ節という「免疫戦場」で戦って疲弊した免疫リ

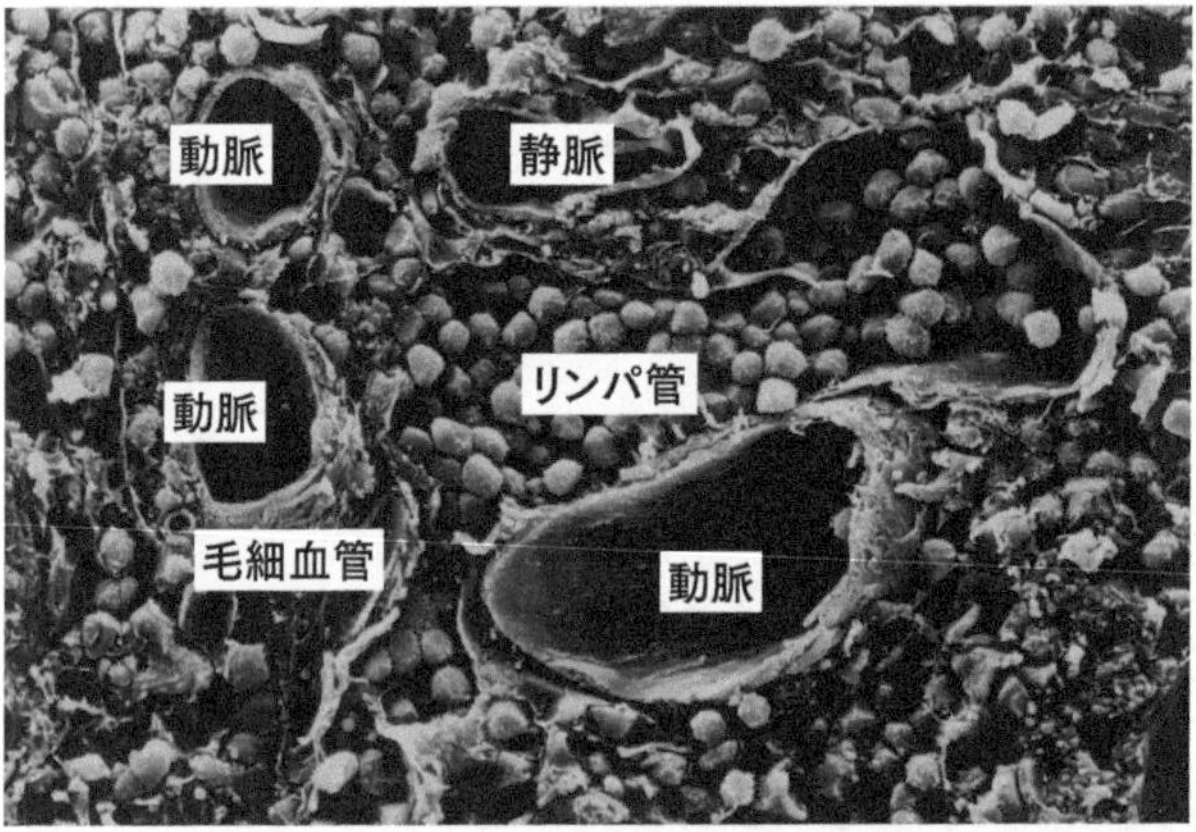

図6－6　マウスの胸腺内のリンパ管と血管のSEM像

ンパ球の看護（あるいは再生）の場所があればと空想すると面白いですが、成熟したリンパ球の再入学による再教育はほとんどないものと考えられます。

「免疫学校」がないと…？

T細胞を主役とする免疫劇場の舞台である胸腺は、最も下等な脊椎動物である円口類のヌタウナギ類などを除くすべての脊椎動物に見られます。しかし、突然変異で胸腺のない動物で、T細胞が欠けている場合には、免疫反応はどのようになるのでしょうか？

実験動物としてよく用いられるマウスの中に、毛のない特殊なマウスがいます。大人になっても毛が生えてこないので、皮膚は生まれたての乳児に近い状態です。これら毛のないマウスの皮膚の下には毛根がないわけではなく、遺伝的な成育欠損で埋もれていて、毛が生えてこないのです。このように先天的に毛が生えないマウスの中で、同時に胸腺ももたないマウスがおり、ヌードマウスとよばれています。

ヌードマウスには免疫系の中心的役割をなす胸腺が存在しないので、もちろんT細胞もありません。つまり、T細胞の役割である、外から入ってくる抗原を識別（自己と非自己の認識）する能力（免疫能）を欠いており、感染に対して非常に弱く、雑菌の多い自然界では生きていけません。実験用に維持するためには、摂取する餌や水、空気からケージ（床敷）まで、すべてを殺菌し、まったくの無菌状態で飼育しなければなりません。

通常のマウスに他の動物の皮膚組織片を移植（異種移植）すると、２週間も経たないうちに、その移植皮膚片は脱落します。ところが、ヌードマウスの場合は他の組織（非自己）に対するT細胞による拒絶現象が起こらないため、他者の臓器（細胞・組織）を容易に受け入れて免疫拒否反応は起こらず、移植皮膚片は生着したままです。

また、ヌードマウスにヒトのがん細胞を移植しても、移植されたがん細胞を非自己として認識できないため、やはり拒否反応が起きず、がん細胞はマウスの体の中でそのまま生着・増殖しつづけます。つまり、胸腺がなくT細胞が形成されていない状態では、移植免疫が成立しない（免疫能が欠損している）のです。近年、ヌードマウスを用いた動物実験によって、T細胞の機能や移植免疫反応のメカニズムが解析され、免疫学の研究が飛躍的に進展してきました。

なお、免疫状態がヌードマウスのような例はヒトでも見られ、先天的なT細胞の機能低下（胸腺低形成）やT細胞欠損（無胸腺症）が知られています。このような場合には、T細胞の機能である細胞性免疫能が低いため、ウイルスや細菌に感染しやすくなります。

リンパを流れるもう一つのリンパ球集団

リンパ球のもう一つの集団であるB細胞は、胸腺で成熟するT細胞とは異なり、他のリンパ組織である骨髄で成熟します。成熟したB細胞は血流に乗ってリンパ組織に入り、そこで免疫反応によって抗体産生に関わります。もちろん、各組織のリンパ管にも入り、リンパ系を循環します。

B細胞の構造上の特徴は、その表面に「IgM」とよばれる抗体をくっつけていることです。IgMの「Ig」は「イムノグロブリン」（免疫グロブリン）の略で、「M」は分子量の違いによる分類（マクロ）を表しています。T細胞の集団の一つであるヘルパーT細胞によって刺激され、分化して形質細胞となり、抗体を産生します。

6-3 さまざまなリンパ組織たち

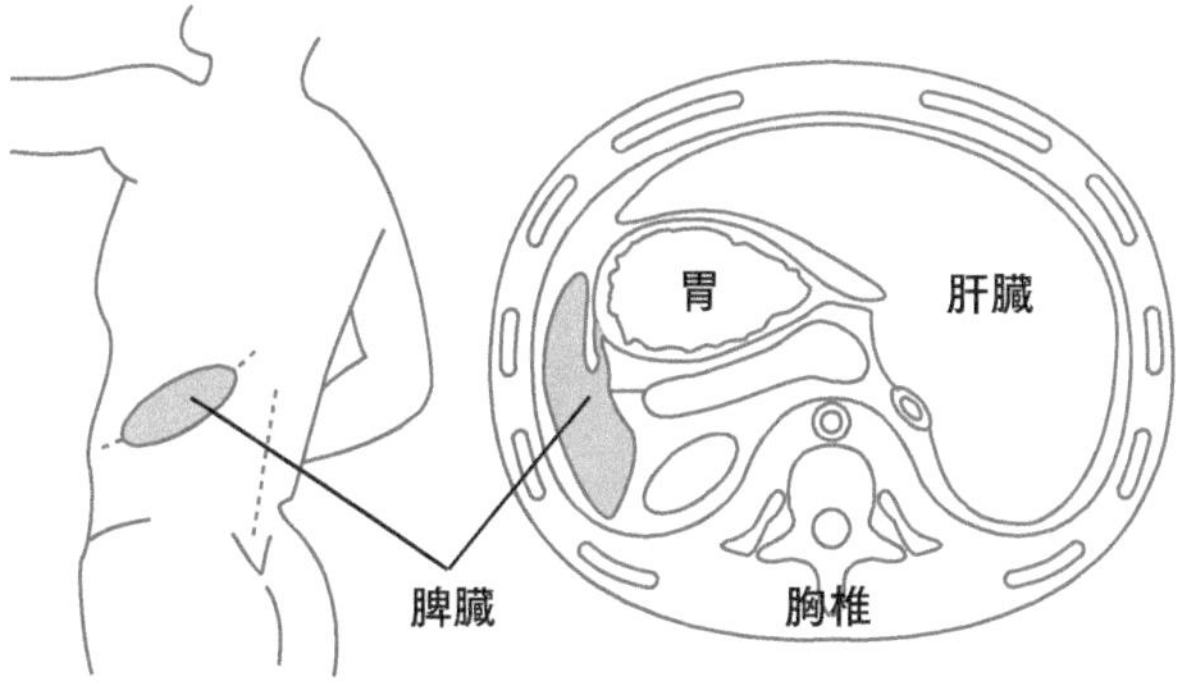

図6－7　脾臓の位置（模式図）（左脇腹、後端は第10～11胸椎体のすぐ左側）

脾臓が果たす二つの役割

脾臓は、腹腔の左上隅で横隔膜のすぐ下にあり、腹膜に包まれた臓器です（図6－7）。脾臓の「脾」は、「にくづき」に「卑しい」と書きますが、決して卑しくも怪しくもありません。骨髄と同様、血液をつくる立派な造血器であると同時に、リンパ組織として免疫機能に重要な役目を果たしています。

脾臓内には、白血球の集合するリンパ組織があり、「白脾髄」とよびます。白脾髄は、血液中の異物や細菌など（抗原）を取り込んで処理するとともに、生体防御のための抗体産生を行います。一方、多量の血液を貯蔵し、通常血液量を調節している部位は赤みをおびており、「赤脾髄」とよばれています（図6－8）。ヒトでは600～800㎖もの血液を貯蔵できます。ネコやイヌではからだの割に脾臓が大きく、ヒトの全血液量に対する脾臓の貯蔵量の割合（約13％）の2〜3倍もの血液を貯留できます。

血液が搾り出されたときの脾臓は、ペチャンコにやせ細り、肉質的ではありません。そのような外観から、「脾」という字があてられたのかもしれません。

脾臓は、病的な、あるいは老化した赤血球を手際よく解体処理する〝スクラップ屋〟としても働いています。さらに、赤血球と結びついて酸素を運ぶヘモグロビンの鉄やタンパク質などを再利用するために貯蔵し、骨髄での造血に役立てています。

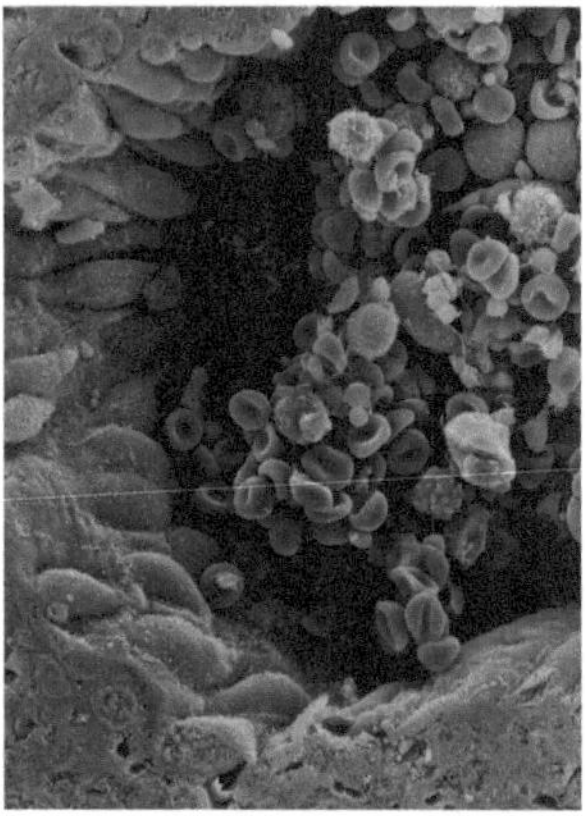

図6－8　脾臓の血管のSEM像
多数の血球が見られる

脾臓のリンパ管は、脾臓を包む被膜や血管などが出入りする脾門に近い脾柱に存在することは明白ですが、実質内におけるリンパ管の存在については古くから議論の分かれるところでした。脾臓内のリンパ管の発達・分布状況は、観察した動物種によって差異はあるものの、おおよそ動脈の枝に沿って見られるとされています。最近になって、マウスの脾臓では、その実質の深部、特にリンパ組織の白脾髄の中心動脈周囲からリンパ管が始まり、脾柱動脈に寄り添うように走っていることが明らかにされています。

ヒトの脾臓では、静脈に沿って走るリンパ管の存在も報告されており、そのリンパ管の末端（始まり）は赤脾髄の脾索とよばれ、血液と、マクロファージや線維細胞など種々の遊走細胞で満たされている細網組織につながります。このことは、リンパ管が脾臓という組織内で血液水分・組織液の調節にあずかっていることを示唆しており、興味深い構造です。

のどの奥のアーモンド——扁桃

消化管や呼吸器官など、管腔を裏打ちする内腔面の粘膜には、細菌や微生物など抗原の侵入に対する生体防御（粘膜免疫）のため、リンパ組織が集合しています。これを総称して「粘膜関連リンパ組織」とよび、骨髄や胸腺の中枢性（一次）リンパ組織に対して、末梢性（二次）リンパ組織といいます。

外部からの抗原に最初にさらされる口腔や鼻腔、咽頭の付近には、三つのリンパ組織がありま す。舌の奥（舌根部）にある「舌扁桃」、のどの入り口（口蓋）の左右にある「口蓋扁桃」、そして上咽頭にある「咽頭扁桃」です。これら三つの扁桃は、口腔・咽頭・鼻腔のまわりを要塞のようにぐるりと輪状に取り巻いているため、発見者の名前にちなんで、「ワルダイエル咽頭輪」とよばれています（図6-9）。

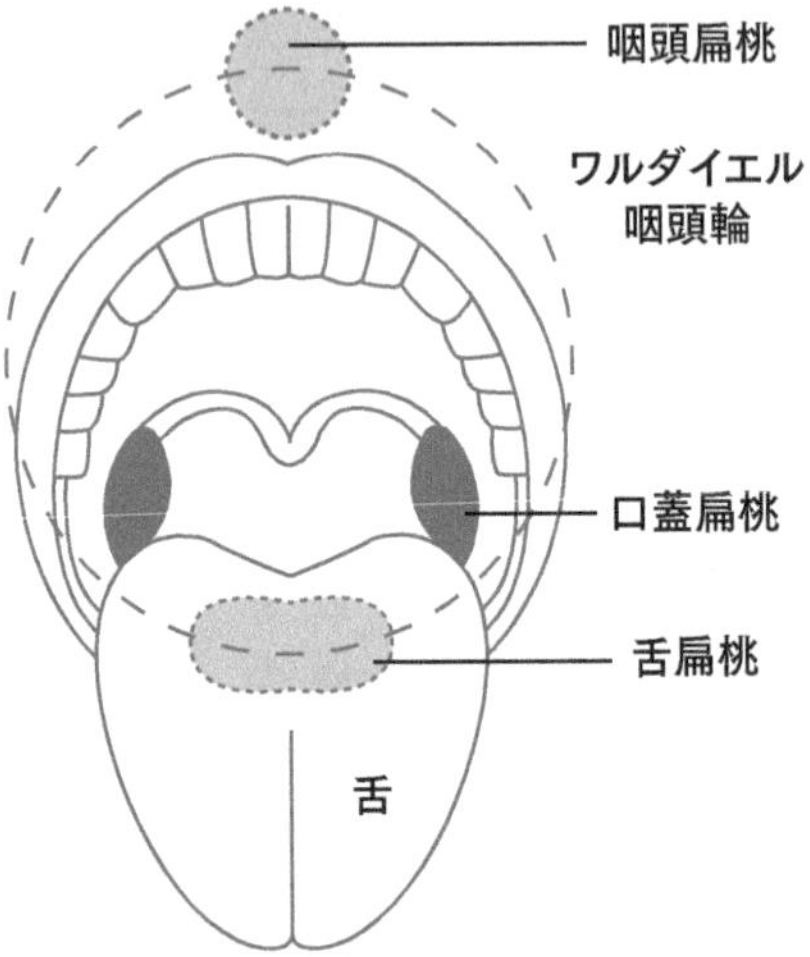

図6－9　3つの扁桃（咽頭扁桃・口蓋扁桃・舌扁桃）が輪状に位置している

扁桃は、アーモンドの形をしていることから、特に口蓋扁桃が英語で「喉のアーモンド」と説明されてきました。また、ハタンキョウの実にも似ているので、杉田玄白は『解体新書』で「ハタンキョウ核」とよんでいます。

風邪の流行る季節になると、〝扁桃腺が腫れてのどが痛い〟と訴えて、耳鼻咽喉科を訪れる患者さんが増えます。特に小児は、たびたび咽喉の炎症を引き起こします。舌扁桃や口蓋扁桃は口腔内で簡単に見えますが、咽頭扁桃は咽頭の上部の気道の粘膜上皮の下にリンパ組織としてあり、口を開いただけでは見えません。小児の健康診断のときに、よく「扁桃腺肥大」（アデノイド）と診断されるところです。5～6歳頃までは大きいのですが、その後しだいに小さくなって、成人ではほとんど退縮します。

扁桃は粘膜上皮の下層に形成された粘膜関連リンパ組織であり、リンパ節と異なる点は、上皮の下に多数のリンパ組織があり、上皮細胞を経て抗原情報を得ているため上皮との関係が密であること、はっきりした被膜や梁柱《りょうちゅう》などの結合組織支柱をもたないことです。

扁桃には輸出リンパ管はありますが、輸入リンパ管がありません。粘膜上皮層から侵入した抗原による刺激に反応し、増殖したリンパ球は、粘膜内の毛細リンパ管に入り、頸部のリンパ管に送られたり、一部上皮を通り抜けて口腔や咽頭に出たりします。

腸壁のパッチワーク──パイエル板

小腸の粘膜には、ところどころリンパ球が集まって孤立リンパ小節をつくっています。孤立リンパ小節が多数集まって集団を形成したものを「集合リンパ小節」といいます。小腸壁の粘膜に見られる発達したリンパ球・リンパ組織で、漿膜側からは小判状に膨らんでおり、まるでパッチワークのように発達しているので「パイエル板」(Peyer's patch) とよばれています。

パイエル板は回腸に多く、長径1～4㎝ほどで、図6－10に模式的に示すように粘膜の表面は絨毛を欠いて、ドーム状になっています。パイエル板は細網組織で包まれており、周囲には細いリンパ管（起始リンパ管）が起こっています。腸の内腔から侵入する病原菌やウイルスなどの抗原に対する防衛反応として生じる抗体産生の場として、腸管の粘膜免疫に重要な働きをしています。

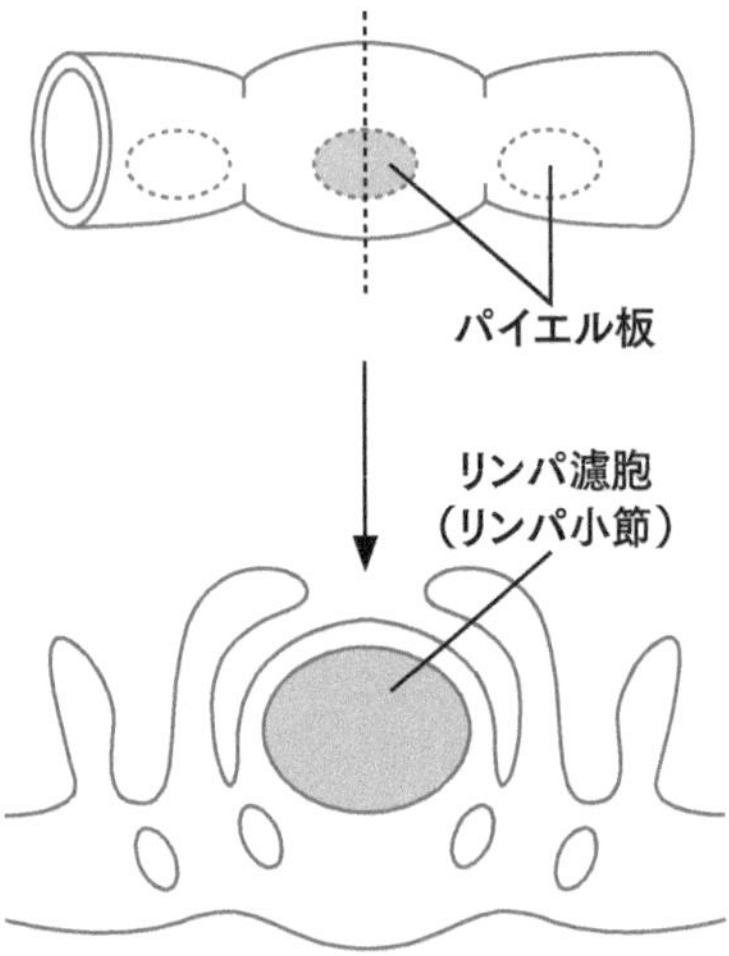

図6－10　回腸に見られる粘膜関連リンパ組織・パイエル板

単なる腸の付属物？——虫垂

虫垂は、体表から見ると前腹壁の右腸骨部において、右上前腸骨棘と臍とを結ぶ線分の下と中3分の1の境界部（マックバーネー点）に位置しています（図6－11a）。回腸部より下方の盲腸の後内側面に付着するリンパ組織を含む管状器官です。

虫垂間膜とよばれる腸間膜（2枚の腹膜）で覆われているため、引っぱられて虫垂の先端位置は変わります（図6－11b、c）。

虫垂の位置は、盲腸の結腸ヒモが虫垂基部まで続いているので、そのヒモをたどれば探し出すことができます。

右下腹部の激痛は古くから、俗に〝盲腸〟（盲腸炎）とよばれてきましたが、近年では、虫垂の炎症である「虫垂炎」として理解されています。虫垂の炎症は、しばしば虫垂基部の盲腸まで波及します。盲腸は短いながらも腸間膜をもっており、通常時も動きます。しかし、生まれつき

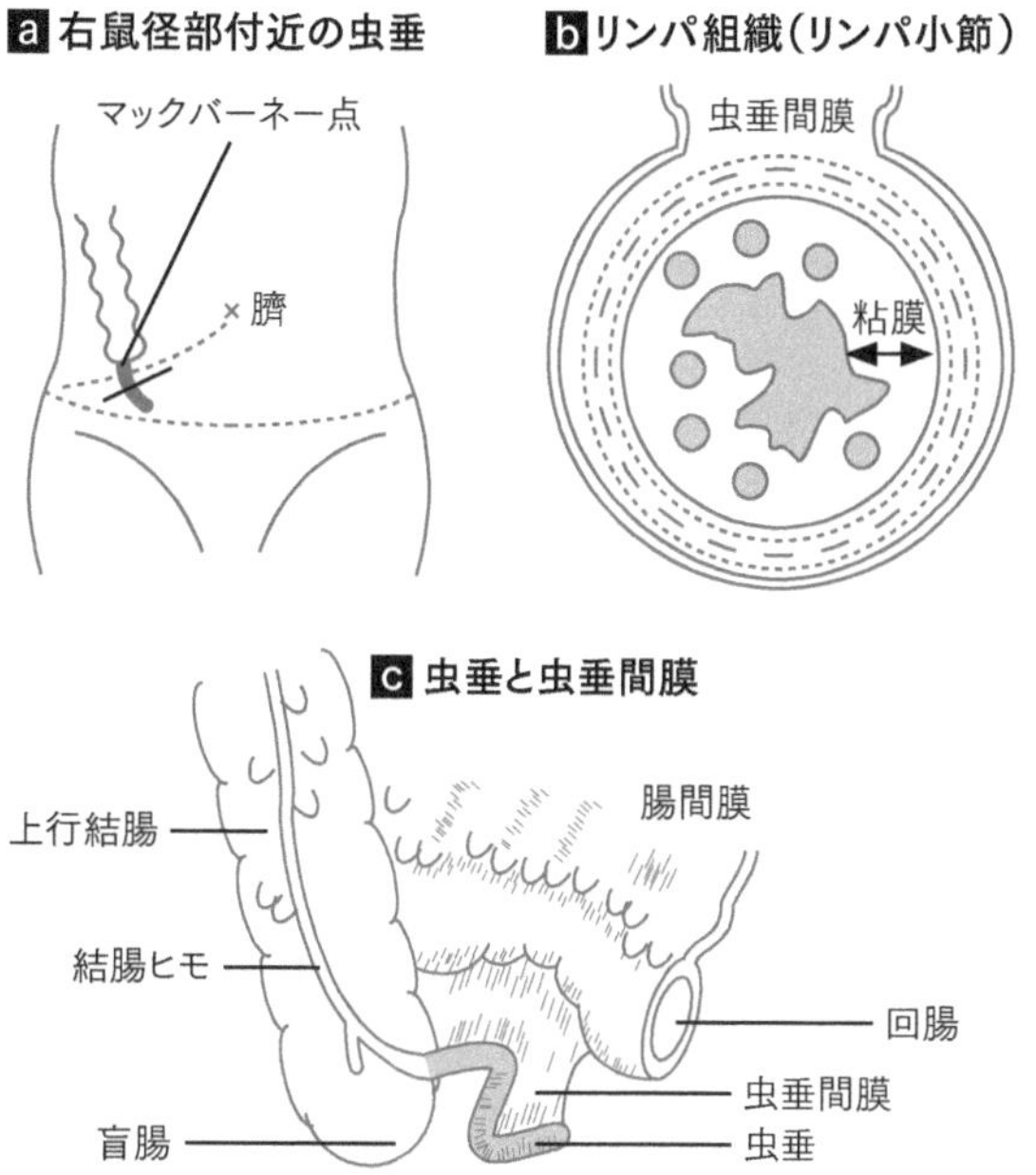

図6−11　虫垂の部位と横断組織

盲腸や上行結腸の固定が悪く、腸の内容物の停滞や回盲部の捻転などが起こったりして過度に動くために、痛みなどの症状を訴えるのが移動性盲腸です。

虫垂の特色はよく発達した集合リンパ組織にあり、あたかも扁桃のようですので、〝腸の扁桃〟と見なされます。古くから、長く退化性の有害無益な器官と考えられてきましたが、近年ではリンパ器官としての免疫学的意義が見直されています。

6-4 リンパ流の関所

リンパの濾過装置――リンパ節

リンパ管の走行途中には、ところどころにリンパの濾過装置である「リンパ節」というリンパ器官があります。あたかもリンパ流の関所のような存在で、ここでリンパの中の異物（タンパク質）や細菌などの抗原がせき止められ、マクロファージや樹状細胞などに取り込まれて抗原情報としてヘルパーT細胞に伝えられます。

リンパ節はやや扁平なソラマメ状で、直径約1㎜と小さいものから、2・5㎝ぐらいのものまであり、からだの部位によって数もさまざまです。脂肪組織に埋まって鎖のように連なり、ヒトでは平均650個、特に胃や腸など消化器周辺に約200個と多く分布しています。

リンパ節は体表面に近いところにたくさん集まっており、上から後頭部の髪の毛の生え際、耳の前後、首筋、顎のラインから腋の下、鼠径部、足の付け根に見られます。

リンパ節の表面は被膜で覆われ、被膜が中に入り込んで結合組織の骨組み（梁柱）をつくっています。それらが広がって細網線維の網目を形成し、そこに免疫細胞（主にリンパ球）がありま

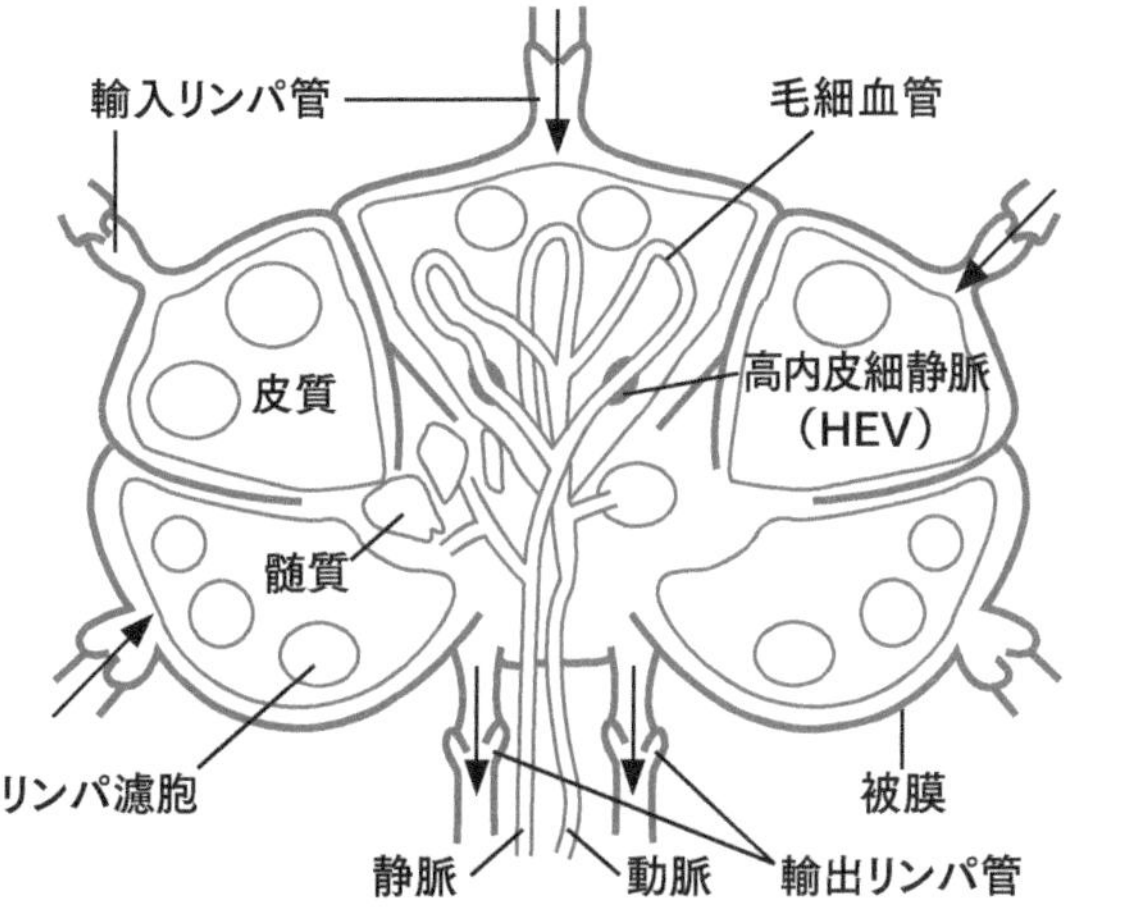

図６－12　リンパ節の組織像の模式図（矢印はリンパの流れる方向を示す）

す。リンパ節には、凸面から弁をもつ数本〜十数本の輸入リンパ管が被膜を貫通して入り、リンパ洞（辺縁洞↓中間洞↓髄洞の順）を通ったのちに、２〜３本の輸出リンパ管として凹面から出ます（図６－12）。１本の輸入リンパ管が運ぶリンパは、リンパ節全体を灌流するのではなく、リンパ節内の限られた領域を灌流します。つまり、数本の輸入リンパ管のリンパには、それぞれ灌流領域があることが明らかにされています。

被膜の膠原線維と平滑筋は、リンパを送り出すのに重要な働きをしています。線維と筋の発達は動物種による差が大きく、ウシやヒツジなどの反芻動物では、リンパ節やリンパ管壁に膠原線維や平滑筋がたいへんよく発達しており、「筋型リンパ節」ともよばれています。

リンパ節の組織構造は、大きく表層域の「皮質」と深層域の「髄質」に分かれ、皮質にはリンパ球が小さな結節状に集合した部分（リンパ小節）があります。免疫反応域として細胞増殖が活発で幼若なリンパ球が多く、二次小節またはリンパ濾胞とよばれています。

系統発生上、濾過装置としての原始的なリンパ節が最初に出現するのは哺乳類になってからです。爬虫類や鳥類にはリンパ管の壁にリンパ細網組織が見られますが、両生類にはありません。哺乳類のそれに匹敵するリンパ節は、ある種の鳥類にのみ見られ、それらは例外なく中心リンパ本幹に存在します。

コラム 〝リンパ腺〞の名前は間違い

リンパ節の国際解剖学用語（ラテン語）は「Nodus lymphaticus」です。英語では「lymph node」ですが、古くは「Lymphdrusen」「lymphogrannduae」という名が用いられたため、その日本語訳として〝リンパ腺〞とよばれました。こんにちでも、首や顎の下、腋の下に〝ぐりぐり〞（リンパ節の炎症）ができたときに、慣習として「リンパ腺が腫れた」と表現することが多いようです。しかし、以下の理由から、「腺」ではなく、「節」とよぶのが正確です。

①唾液腺や甲状腺のように、消化液やホルモンを分泌する器官ではない。
②発生学的にも、外胚葉・内胚葉など上皮性由来ではなく、間葉性由来である。
③抗体を産生するところである。

ちなみに、「扁桃」もよく「扁桃腺」とよばれますが、これも誤った表現です。

リンパ球の渡り鳥行動

免疫細胞であるリンパ球は、血管系からリンパ管系の二つの交通路を通じて体内を活発に移動します。リンパ組織─循環血液─組織─末梢のリンパ管─リンパ節─リンパ管・リンパ本幹─静脈─リンパ組織という流れです。

血液中のリンパ球が血管を経由してリンパ組織に移動する現象を、渡り鳥の行動になぞらえて「リンパ球のホーミング」とよびます（図６－13）。リンパ球の「ホーム」（生家）とは、一次リンパ組織である骨髄や胸腺です。リンパ球はそこからリンパ節、脾臓やパイエル板、扁桃などの二次リンパ組織に移動して体内を循環し、免疫能を獲得します。実際にはほとんど「ホーム」に戻らないので、渡り鳥のホーミングとは少し異なります。

リンパ球はT、Bの両集団ごとに二次リンパ組織内で「住み分け」て、それぞれの領域にふた

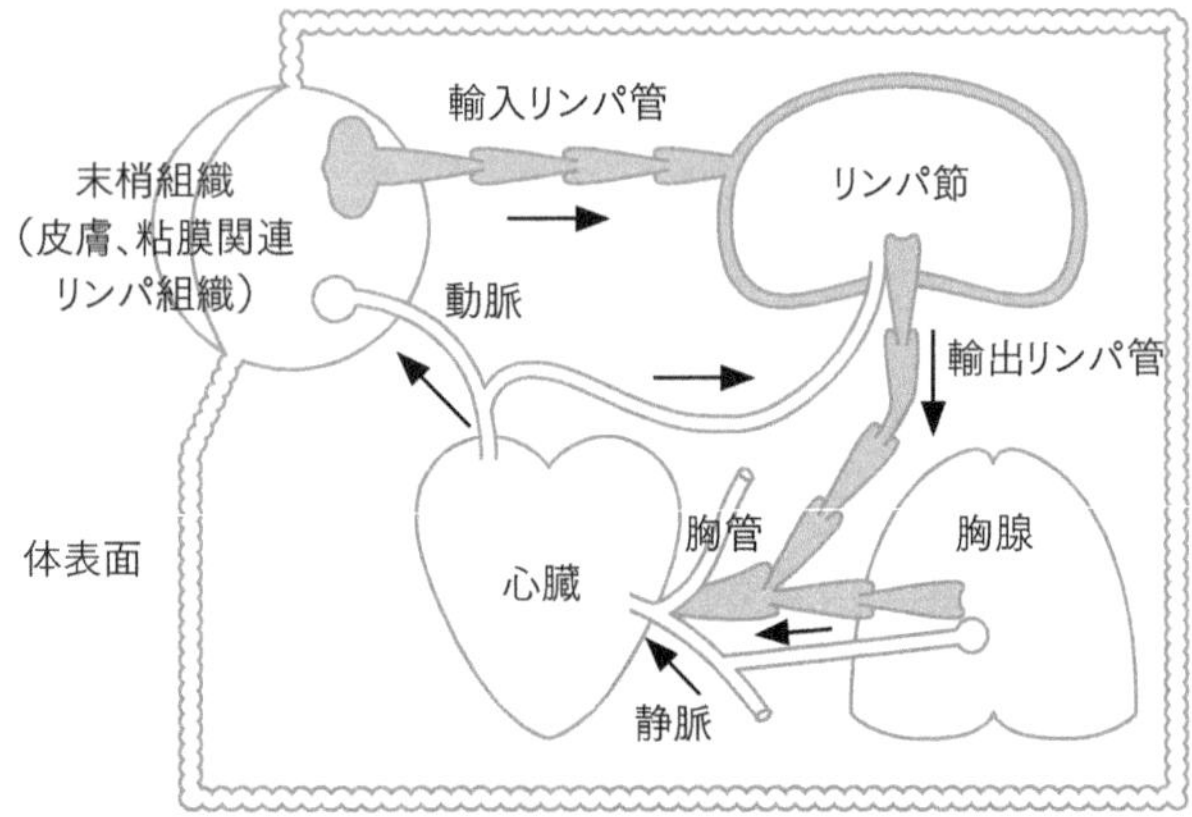

図6－13　リンパと血液の循環　体内のリンパ球はリンパ管と血管を経由して臓器を循環している（灰色：リンパ管、矢印は流れの方向を示す）

たび戻ってきます。具体的には、リンパ節では、T細胞は皮質でも髄質に近い深いところ（傍皮質）にあり、B細胞は表層に集積して球状のリンパ小節を形成します。リンパ小節の中心部には、細胞分裂の盛んな増殖性のリンパ芽球が多くあります。脾臓では、T細胞は白血球の集結している白脾髄の中心動脈周囲のリンパ球鞘に、B細胞は白脾髄辺縁部（リンパ小節）に分布します。

約半世紀も前のことになりますが、リンパ節の輸出リンパ管のリンパを集めて中のリンパ球数を数えると、輸入リンパ管中のそれと比べて約100倍も多いというふしぎな事実が観察されました。解剖学者たちはその理由を求め、リンパ節の中の組織構造を探索しました。

ソラマメ形の凹凸をもつリンパ節では、凹側の門とよばれる部位から動脈が入り、静脈と輸出リンパ管が出ていきます（203ページ図6－12参照）。輸入リンパ管内よりはるかに多数のリンパ球が輸出リンパ管に出ているのですから、リンパ節内で何かが起こっているのではないかと考えたわけです。

リンパ節内ではそれほど多くのリンパ球が分裂・増殖しないことから考えると、血液の中のリンパ球が輸出リンパ管に出ていくのではないかと推測されました。その結果、リンパ球が特殊な血管から漏れ出ることが明らかになりました。その現場が、リンパ節内の特殊な血管、いわゆる高内皮細静脈（HEV）です（図6－14）。

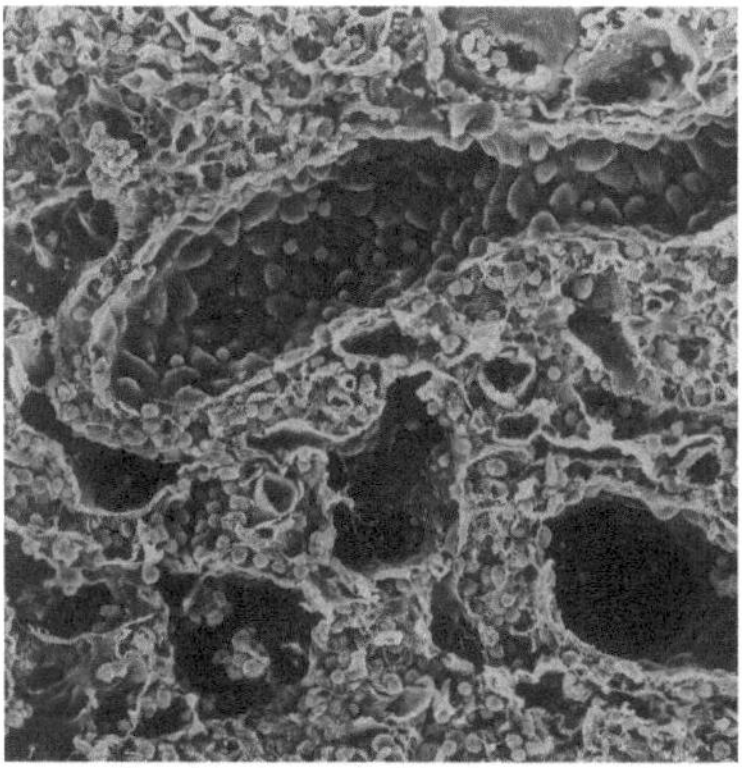

図6－14　ラットの腹腔リンパ節の高内皮細静脈SEM像

特殊とされる理由は三つあります。①毛細血管（網）の後に続く細静脈であり、②立方体で背の高い内皮細胞を有し、③この部位から血液中のリンパ球が管壁を通過して髄質のリンパ洞へ出る、ことです。

血管内のリンパ球は、このHEV内皮細胞上を回転しながら減速し、内皮細胞表面に接着した後、内皮細胞層を通過して組織実質に移行します。リンパ球がＨＥＶ内皮細胞層を通って血管外の組織に出る際、多くは内皮細胞の間隙を取り抜けるようですが、他に内皮細胞の細胞質内を通過する経路もあることが形態学者のあいだで議論されています。現時点では、両方の経路の可能性があるとされています。

最近では「リンパ球のホーミング」に関して、もっぱらＨＥＶ内皮細胞とリンパ球の相互作用のメカニズムに興味が注がれ、精力的に研究されてきています。特に、ＨＥＶ内皮細胞に特異的に発現する分子の存在が明らかにされ、リンパ球のＨＥＶへの接着および血管外への移動を促進するといわれています。

リンパの濾過とタンパク調節

ＨＥＶのもう一つの働きに、水分の吸収があります。ＨＥＶにはリンパ管同様、水代謝に関わるアクアポリン－１の発現が見られます。アクアポリンは細胞膜にあるタンパクで、水分子だけを選択的に透過させます。リンパ管の内皮細胞にも発現し、水分の吸収によってリンパの中のタンパクアルブミン量を調節し、組織液の吸収とリンパの流れをコントロールしています。

輸入リンパ管中のリンパのタンパク濃度が上がると、低タンパク液がリンパ節の血管リンパ関門を経て濾過され、リンパは希釈されます。逆に、輸入リンパ管中のタンパク濃度が下がると、リンパから水成分が吸収されてタンパク濃度が上がります。リンパ液中のタンパクアルブミン濃度の増加は、免疫機能の亢進にも関係していることが考えられます。

このメカニズムは、タンパク濃度を調節するのみならず、輸出リンパ容量にも影響します。リンパが希釈されると輸出リンパ量は増し、リンパが吸収されると輸出リンパ量は減少します。血管リンパ関門の両側で流体力学圧と浸透圧が同じであれば、輸入リンパ量と輸出リンパ量は等しいことになります。興味深いことは、輸入リンパ管と輸出リンパ管の両者で、リンパ量とその中に含まれる細胞成分（リンパ球数）が異なることです。

リンパ節は「免疫反応の戦場」

種々の抗原タンパクや異物として、がん細胞もリンパ管に入ってリンパ経路に沿って流れ、その途中でリンパ節に流着して生体防御としての免疫反応を引き起こします。その際、抗原が接着・侵入する近くのリンパ節のことを「所属リンパ節」とよびます。

がん細胞は、リンパ管を経由してリンパとともに周囲の組織の近くにある所属リンパ節に流入します（がんのリンパ節転移）。たとえば、胸腔や腹腔に広がったがん細胞がリンパ管に入り、頸部で胸管付近の介在リンパ節に接着・転移して結節を形成することがあります。このリンパ節は、発見者の名を冠して「ウィルヒョウリンパ節転移」（胸管のすぐそばにあって、胸管と細いリンパ管で連なっているリンパ節）とよばれています。

リンパ節の腫れが親指大を越えてさらに大きくなり、痛みはなく、押さえても動かず、他のリンパ節も腫れてくる場合は、悪性リンパ腫や白血病などの悪性腫瘍の可能性もあります。

第7章

がんと闘う歩哨たち

7-1 がんとリンパ管

がんはリンパがお好き？

がん細胞は正常細胞とは異なり、激しく分裂・増殖して腫瘍を形成し、他の組織に転移することから「悪性腫瘍」とよばれます。

がんの転移には、大きく分けて三つの形式があります（図7-1）。一つは、がん細胞が単純に周囲に広がっていく（浸潤する）形式、つまり「組織局所浸潤転移」や腹膜・胸膜などの「播《は》種《しゅ》性転移」です（①）。他の二つは、経路として腫瘍組織の周囲や腫瘍内の血管を経由する「血行性転移」（②）と、リンパ管に侵入して近くのリンパ節に転移する「リンパ行性転移」です（③）。がん細胞がリンパ節を経由して移動するので、臨床では一般にがんの「リンパ節転移」とよばれています（図7-2）。

図7-2中の①は、一次性（原発性）がん組織からのがんの血行性転移です。がん組織内には血管が存在しないため、がん細胞が盛んに分裂・増殖するための栄養が必要であり、周囲に血管を新生させて、図中④のように経時的に転移します。

一方、図中②はがんのリンパ節転移の場合で、リンパ管を経由してリンパ節に入ったがん細胞はそこに留まって増殖し、さらにリンパ管を流れて胸管から血液循環系に入るか、図中③のようにリンパ節で血管に入ります。

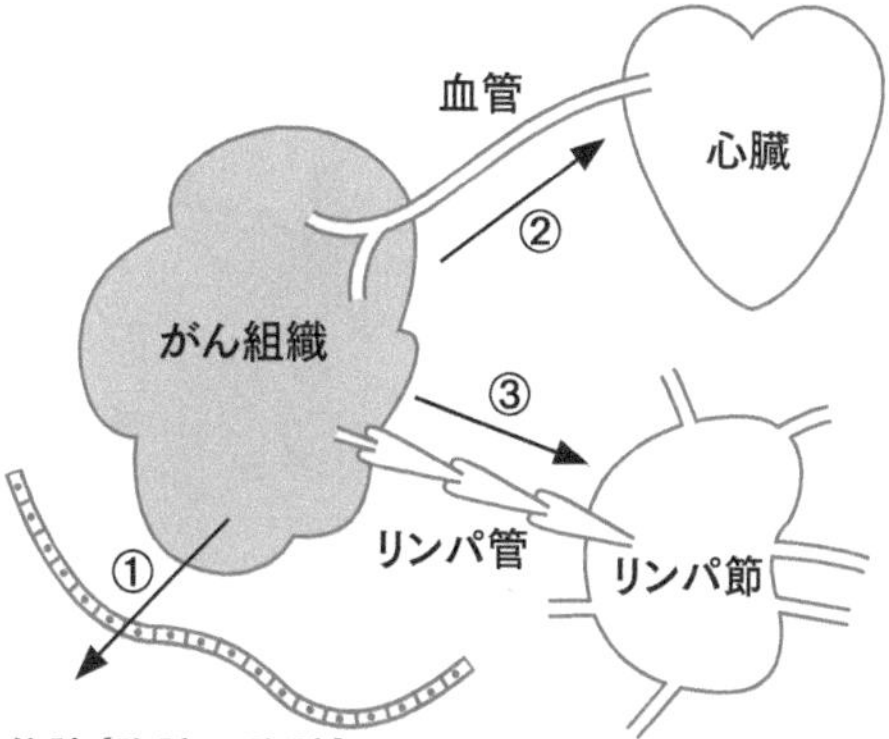

図７－１　悪性腫瘍（がん）の３つの転移形式

がんがリンパ節に転移する場合にも、血管と同様、がん自身が組織周辺にリンパ管の新生を促進させて、好んでリンパ管に入っていくのでしょうか？　もしそうだとすれば、がん細胞とリンパ管内皮細胞とのあいだで、特異的な相互作用が行われている可能性があり、たいへん興味深い問題です。

すなわち、がんがリンパを好むのであれば、がん細胞のほうからリンパ管に対して、何らかの働きかけをしているのでしょうか？　たとえば、がん細胞自身かあるいは他の細胞からリンパ管内皮細胞の増殖を誘引するリンパ管増殖因子（ＶＥＧＦ－Ｃ、ＶＥＧＦ－Ｄ）を産生させて、リンパ管に作用するのでしょうか？

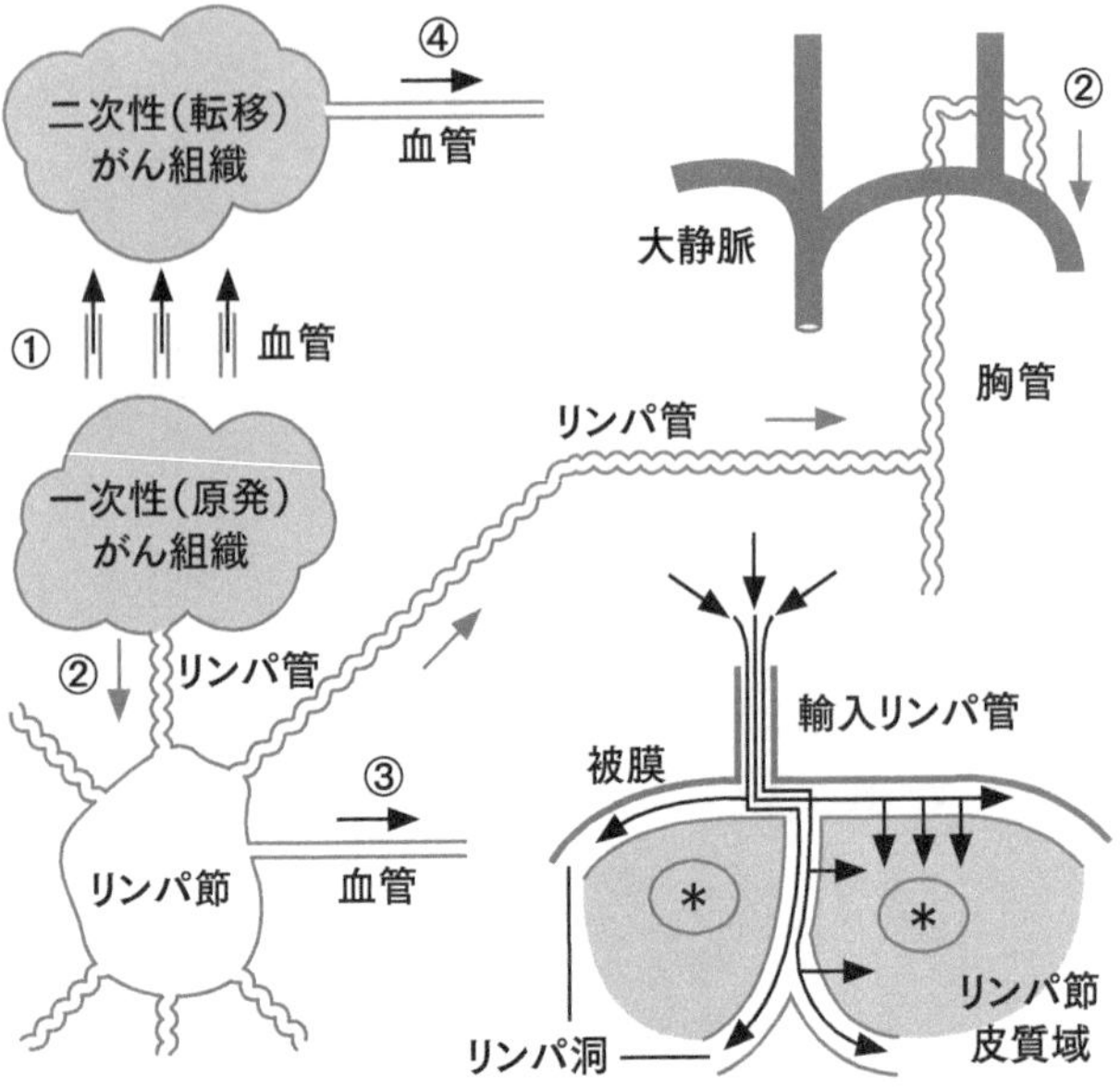

図7－2　がん組織のリンパ節転移(左)とリンパ節内(右下、＊リンパ濾胞)でのリンパの流れ

リンパ節転移を起こしやすい乳がんや前立腺がんでは、がん細胞がＶＥＧＦ－ＣやＶＥＧＦ－Ｄを産生することが臨床的に報告されています。また、ヒトの悪性腫瘍の代表として、皮膚などの色素細胞（メラノサイト）に由来する「悪性黒色腫（メラノーマ）」というがんがあります。転移性の高いメラノーマでは、転移性の低いものに比べ、腫瘍周囲にリンパ管が多く分布していることも知られています。

がんはリンパ節にどう転移するのか

がん細胞がリンパ節に転移するには、まず組織にあるがん細胞が周囲のリンパ管に侵入することがキーステップとなります。そのしくみはまだ十分に解明されていませんが、がん細胞が偶発的に既存のリンパ管に侵入するというよりは、リンパ管を好んで、能動的に移動して侵入するのではないかと考えられています。

ある特性をもつがん細胞と、そのがん細胞の転移を受けるべく特異な微小環境を保持した臓器・組織の両者の協調作用によって、がんの転移が成立するという考え方があります。19世紀のイギリスの外科医パゲット博士が乳がんが骨に転移しやすいことを報告し、「播種理論」を提唱しました。播種とは、転移によるがん細胞の分散を種播《たねま》きにたとえたものです。

それでは、転移先の組織とがん細胞とを取りもつのがリンパ管であり、その結果、リンパ行性転移が起こるのでしょうか？　もしそうであれば、前述のように、リンパ管を増殖させるような化学物質の放出などの可能性が考えられます。あるいは、リンパ管増殖因子となる化学物質の放出はないにしても、がん組織がリンパ管増殖に適した環境を提供するとしたら、これもたいへん面白い推測です。

近年、リンパ管内皮細胞の分化・新生と関連して、細胞内カルシウムイオン（Ca^{2+}）濃度の変化など、生理的機能を知るための研究方法としてリンパ管内皮細胞培養法が開発され、リンパ管内皮細胞が低酸素濃度の培養条件で増殖・新生することが明らかになりました。がんの組織環境も血管に乏しく、低酸素状態にありますので、リンパ管増殖には好都合といえます。リンパ管新生によるがん細胞のリンパ行性転移のメカニズムを考察するうえで興味深い事実です。

さらに、ヒトのリンパ管内皮細胞培養系で、リンパ管増殖因子による刺激に対する内皮細胞の増殖反応も検討されています。これら一連の最新の研究成果は、がんのリンパ節転移の抑制やリンパ浮腫に対する新しい治療法の開発への可能性を示しており、大いに期待されるものです。

また、マウスのがん転移の実験モデルやヒト乳がんの症例などの最近の研究では、がんのリンパ節転移の過程で、がん組織の周辺の組織内（リンパ節外）でリンパ管の新生が促進されること以外に、リンパ節内のリンパ管の新生が誘導されることが観察されています。がん細胞のリンパ節内における捕捉を低下させ、リンパ流に乗ってがん細胞が容易にリンパ節を通過し、輸出リンパ管から他の組織へ輸送されることが示唆されます。

リンパはがんがお好き？

がん細胞とリンパ管の相互作用に関して、もう一つ反対の方向からの疑問点があります。

もしリンパががんを好むのであれば、リンパ管からのがん細胞に対する何らかの働きかけがあるのではないか？　すなわち、リンパ管内皮細胞、あるいはリンパ管周囲の他の細胞が何らかの因子を産生して、腫瘍細胞を増殖させせたり誘引したりするのではないか、という考えです。

リンパ節転移を示すヒト悪性黒色腫では、リンパ管内皮細胞が産生するサイトカイン（細胞産生因子）の一種であるケモカイン（化学物質因子）ＣＣＲ21に対する受容体であるＣＣＲ７が発現します。その結果、がん細胞は内皮細胞膜上のＣＣＲ21に対して遊走して集まっていくことが報告されています。このような現象を「ケモタキシス」とよびます。食道がんや頭頸部腫瘍のリンパ節転移も、同様のメカニズムによるものと考えられています。

また、リンパ管からのがん細胞に対する積極的な働きかけはないにしても、リンパ管系そのものが、がん細胞にとって転移に都合のいいようにできている可能性も考えられます。リンパ管系はもともと、体内の余分な水分や老廃物、侵入してきた異物の回収によって生体の恒常性維持・防御を目的として発達したものですので、異物としてのがん細胞を受け入れやすい状況にあることが推測されるからです。がん転移との関わりにおいて、リンパ管の謎は深まるのです。

腹腔や胸腔におけるがん転移

腹腔内に特有ながんの転移形式が「播種」です。がんの原発巣から腹腔内に遊離したがん細胞が腹腔面に着床した後、増殖してリンパ管に入り、転移します（213ページ図７－１参照）。播種

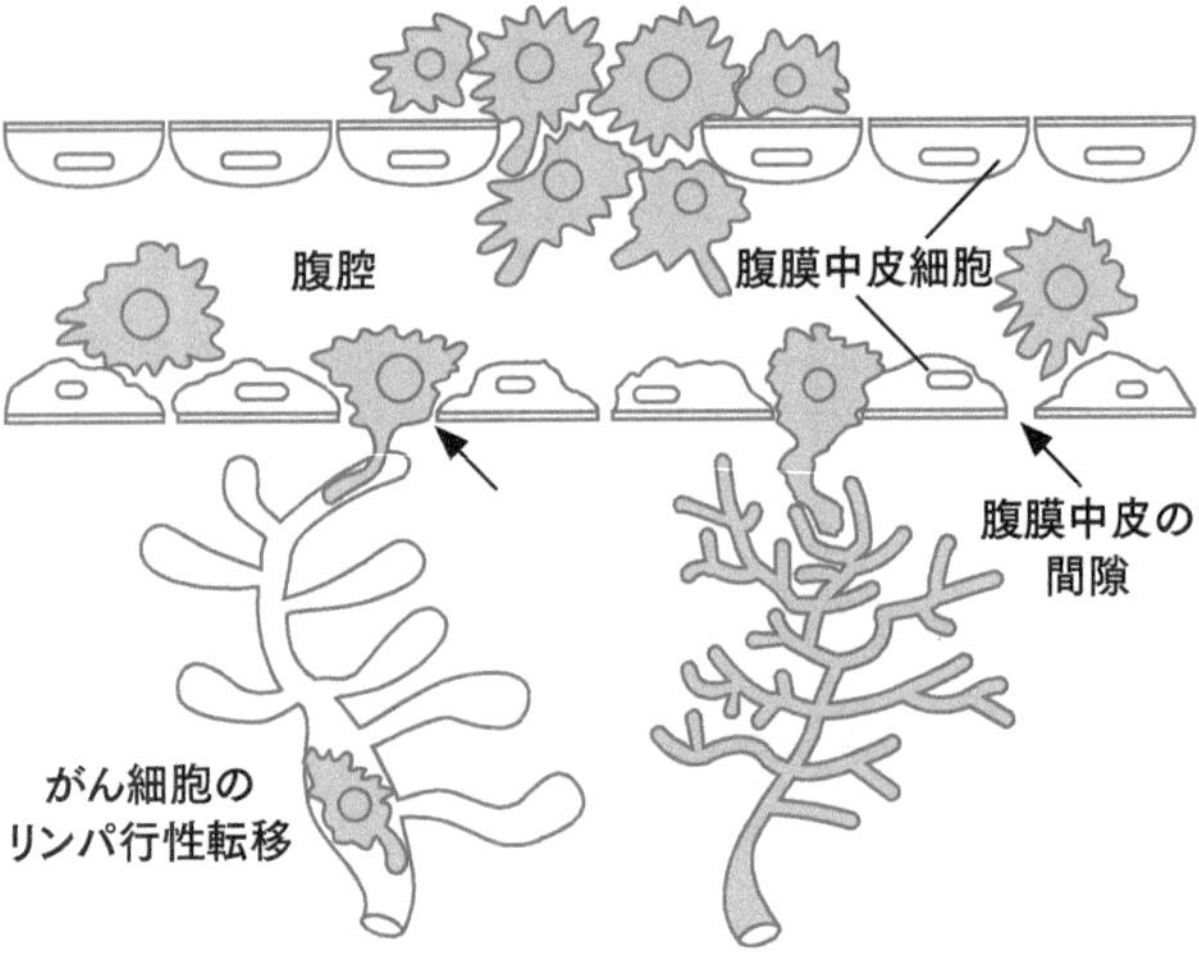

図7－3　腹腔内がんのリンパ行性転移（腹膜播種）の模式図

の転移のしくみはたいへん興味深く、多くの研究がなされ、注目されています。

腹腔にある腸間膜で構成されている大網に、「乳斑」とよばれるリンパ組織があることはすでに紹介しました（122ページ参照）。この大網乳斑にはリンパ管が分布し、腹腔内の異物や出血による赤血球などが吸収されます。腹膜は発生上、中胚葉由来の中皮細胞層に覆われていますが、乳斑部は中皮細胞が完全には覆っていないため、抵抗性が弱いところでは腹腔内の物質や細胞が通過しやすくなっています。

そのような箇所では、腹水中で塊をなしているがん細胞なども浸潤しやすいのです。さらに、腹腔のがん細胞が他の場所に転移する経路として、図７－３の模式図で示すように、横隔膜の中皮直下にあるリンパ管が考えられます。

また、腹膜からがん細胞がまるで種を播くようによく飛散（播種性転移）する部位の一つとして、女性の直腸と子宮のあいだのくぼみ（直腸子宮窩、別名ダグラス窩）にある腹膜が重要な領域として挙げられます。直腸子宮窩は、仰向けに横たわった状態では腹腔のいちばん低い位置にあるため、重力と関連して腹水が溜まりやすく、がん細胞の播種が生じやすいのです。

肺の表面と胸壁の内面は、呼吸のために膨らんだり収縮したりする肺を包みこんでいるため、薄い漿膜（胸膜）で覆われています。胸膜は直接、肺の表面を覆う肺胸膜と胸壁内面を覆う壁側胸膜の二重の膜で構成されています。壁側胸膜にはよく発達したリンパ管網が分布しており、肺における組織液の調整に働いています。リンパ管網の発達は同時に、肺がんの進展過程における胸膜播種や胸水の貯留とも深く関連しており、きわめて重要です。

転移するがんの〝見張り役〟

がんがリンパ流に乗って広がることは、18世紀頃から認識されていました。

19世紀後半になって、ウィルヒョウによって臓器のリンパ流域に属するいわゆる所属リンパ節の、免疫防御器官としての重要性が提唱されました。20世紀に入り、微小ながんの塊がリンパ流

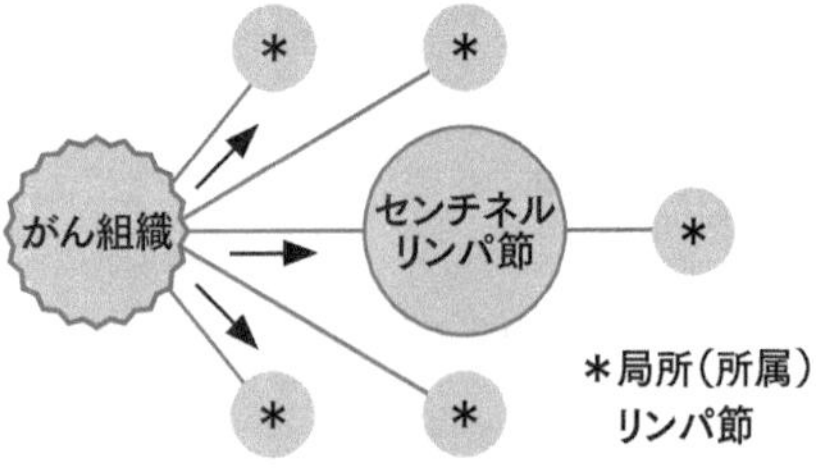

図7－4　センチネル（見張り役）リンパ節の概念
センチネルリンパ節は、がん組織からリンパ管に侵入したがん細胞が最初に到達するリンパ節

に乗って転移する際、最初に転移するリンパ節、あるいは最も転移しやすいリンパ節が存在することが指摘されました。

このようなリンパ節を「センチネルリンパ節」（SN）とよび、がんの局所転移として注目されてきています（図7－4）。センチネルには、「歩哨《ほしょう》」「見張る」という意味があります。がんの最初の微小転移を見張っていることから、〝歩哨リンパ節〟あるいは〝見張りリンパ節〟とでも訳すことができそうです。

しかし、「最初の」という表現は「ただ一つの」ということを連想させ、誤解を招きやすいため、正確には、センチネルリンパ節はがんから「直接の」リンパ流を受ける「一つないし数個の」のリンパ節と定義されています。〝見張りリンパ節〟には、がんの転移を能動的に監視しているようなイメージがありますが、実際には、たとえばがんを呼び寄せるサイトカインのような物質を出して、積極的にがんの転移を待ち受けているわけではありません。

がんのリンパ行性転移は、がん組織周辺におけるリンパ管網の構築とリンパの流れに関係するもので、たとえば胃がんでは、肺や肝臓、脳などに転移したものを遠隔転移といい、これによってがんの進行度を判定しています。

センチネルリンパ節の検査と摘出

がんの外科治療の際には、まず「がんがどこまで転移しているか」を知ることが、リンパ節の摘出の範囲を決める最重要の情報となります。所属リンパ節の摘出（郭清）による患者の身体的負担をできるだけ少なくする（低侵襲治療にする）ために、センチネルリンパ節における転移状態に基づいて、リンパ節摘出の適否を判断することが提唱されています。

１９９２年、ドナルド・モートンらが悪性黒色腫の手術中におけるリンパ節転移の診断として初めてこの方法を応用しました。センチネルリンパ節ナビゲーション外科手術（ＳＮＮＳ）とよばれるもので、低侵襲化を可能にするために、近年、腫瘍外科領域での臨床応用を目的とした研究が急速かつ精力的に展開されています。

センチネルリンパ節において、小規模のがん転移（微小転移）の分子マーカーの開発が目指されている中で、興味ある報告がなされています。

リンパ管の内皮細胞を培養して転移性の高い乳がん細胞の培養上清を加え、培養リンパ管内皮細胞を刺激すると、その内皮細胞表面の膜タンパクである細胞接着分子の発現が高まります。そこに乳がん細胞を入れると、この内皮細胞への接着が確認されました。このことは転移性の高いがん細胞からは、リンパ管内皮細胞の細胞接着分子の発現への働きかけがあり、がん細胞が選択的にリンパ管内皮細胞に接着して積極的に寄り集まりやすい環境がつくられて、微小がん転移が成立する可能性を示唆しています。

がん細胞のもつ悪性度は、その増殖性と転移性の高さで決まります。問題は、どの程度の悪性腫瘍で微小転移が起こるかです。複数の分子が相乗的に悪性腫瘍に対して働き、転移を促進している可能性があります。悪性腫瘍の転移のしくみを明らかにすることは、がん治療の大きな課題であり、特定のケモカインの組み合わせやその作用メカニズムを同定することは、抗転移療法の開発につながるものとしてきわめて重要です。

7-2 がんとリンパ節

センチネルリンパ節理論とは何か

センチネルリンパ節は、がんのリンパ行性転移の際に、がん細胞ががん病巣からリンパ管を経由して最初に到達するリンパ節です。センチネルリンパ節にがんが転移していなければ、これより先のリンパ節には転移はないとする考え方（センチネルリンパ節理論）があります。

腫瘍外科医の多くはこれまで、原発巣とリンパ節の一括切除をがん手術の基本としてきましたが、近年の放射線医学において、リンパ・シンチグラフィーによるマッピング技術が開発されています。ＣＴ造影剤を腫瘍部に注入して、途中のリンパ管経路とリンパ流を直接受けるリンパ節を〝真のセンチネルリンパ節〟と同定するものです。

腫瘍外科学ではさらに、乳がんや悪性黒色腫などにおけるがんの転移を知るため、次項で述べる標識物によるリンパ流の観察によっていち早くセンチネルリンパ節を探して摘出し、病理組織検査を行う「リンパ節生検」が、がんの一般的診断・治療技術になってきています。早期のがんを扱う頻度が高くなり、がん根治手術の基盤が再検討されています。

センチネルリンパ節理論に従えば、がんの外科手術においてセンチネルリンパ節に転移が見られなければ、不要なリンパ節郭清を回避し、手術によるからだへの負担を大幅に軽減することが可能になります。

近年では、すでに乳がんの臨床現場において、センチネルリンパ節以外のリンパ節郭清を不要とするセンチネルリンパ節ナビゲーション手術が行われています。この手術を行うには、①色素や造影剤などの標識物質（トレーサー）の局部のがん組織への注射技術、②リンパ節生検の手技、③術中の迅速ながん細胞の病理診断などの精度、などが要求されます。

センチネルリンパ節ナビゲーション手術の適応範囲を広げるには、臨床試験を通して今後、センチネルリンパ節ナビゲーションの精度や安全性の検証など、解決すべき課題もあります。そのような課題を抱えながらも、低侵襲性と根治性をかねたテーラーメイド手術として、今後の普及が期待されます。

ところで、一般的にリンパはリンパ管を流れ、途中で流れをせき止めて濾過するリンパ節に達しますが、マクロ的に太いリンパ管がしばしば食道壁から突然出現し、リンパ節を介することなく近くの胸管に注いでいる特異な症例が報告されています。リンパ節を通らないリンパの流れがあるとすれば、センチネルリンパ節の概念があてはまらないことになります。これもまた、今後の課題となるでしょう。

また、がん細胞の転移が最寄りのリンパ節には起こらず、スキップして少し離れたリンパ節に起こることがあり、これを「跳躍転移」とよんでいます。たとえば、原発性肺がんで、肺門リンパ節には転移がないのに、少し離れた縦隔リンパ節に跳躍転移する場合などです。このような場合は当然、センチネルリンパ節生検の適応外となります。

乳がんの手術の場合、センチネルリンパ節転移の診断に基づいて腋窩リンパ節の郭清を省略するなど、侵襲性の低い手術が実施されています。問題は、担当する腫瘍外科医が「そのセンチネルリンパ節をどのようにして知るか」——その診断技術が重要となるわけです。

センチネルリンパ節をどう知るか？

それでは、問題のセンチネルリンパ節を確実に突き止めるにはどうすればよいのでしょうか？先にも登場したセンチネルリンパ節生検は、手術の際に薬剤を患部に注入し、薬剤が最初に流れ着くリンパ節を取り出して、組織切片を調べる方法です。１９９０年代に、モートンらの報告を契機として、乳がんや悪性黒色腫における臨床研究が開始され、現在はこの理論が適応しうるか否か、大規模な臨床試験が行われています。

センチネルリンパ節のコンセプトが成り立つためには、その前提として「がん細胞がトレーサーとしての粒子と同じ動きをするのか」という本質的な問題があります。細胞と粒子の両方が同じリンパ流に乗ってリンパ管を移動すると仮定すれば、結果として同じリンパ節が到達点となることには何ら疑問はありません。

しかし、がん細胞によるリンパ管の新生あるいは閉鎖が、リンパ流の変化やがん細胞自身のリンパ管への接着やリンパ節への能動的な動き（転移）に影響する可能性もあります。また、リンパ節の組織構造は人種や年齢、からだの部位によっても異なると考えられ、形態的な差異がリンパの動態やフィルター作用機能にどの程度反映するかも無視できません。

各臓器のリンパ流の特性、リンパ管やリンパ節における生体環境とトレーサー粒子の動態の解明、さらには最適なトレーサー粒子の開発と微小リンパ節転移の検出法など、リンパ学における基礎研究の重要性が再認識され、国内における臨床応用に向けて検討が進められています。

センチネルリンパ節とがん治療

子宮頸がんの場合、がんは子宮の周囲の骨盤内のリンパ節に加え、その上部の大動脈周辺の傍大動脈のリンパ節にも転移するため、手術ではこれらを切除することがあります。しかし、傍大動脈のリンパ節まで切除することは、浮腫などの後遺症が増すおそれがあり、問題を残しています。

一方では、リンパ路が複雑で、近くのリンパ節より少し離れたリンパ節への跳躍転移も考えられます。転移のメカニズムの解明を目指した実験的探索では、リンパ節生検でトレーサー（標識）として用いた色素や放射性同位元素は、がんを特異的に認識できるかなどの問題があり、生検診断の精度にも限界が認められています。がん根治の確率を高めるには、浮腫や運動障害を起こさないよう、転移リンパ節切除に万全を期すことが大切です。

リンパ節に移行してきた腫瘍細胞がそこで死滅するか、増殖せずに周囲の細胞と共存しているならば、個体（宿主）に対する影響は少ないでしょう。誰もがセンチネルリンパ節でのがん転移の阻止を願うところですが、一度リンパ節転移が成り立つと、がん細胞は輸出リンパ管から出て一般循環系に放出される傾向にあり、さらなる転移を起こしやすいのです。

なぜ、リンパ節でがんを食い止められないのでしょうか？　センチネルリンパ節における局所免疫は、原発巣から送り込まれたがん細胞と、がん細胞が侵入したリンパ節との戦闘状態を表しています。所属リンパ節内におけるがん細胞増殖の抑制に対する戦闘に勝利することが、必ずしもリンパ節による全身性の免疫抑制を反映しているわけではありませんが、センチネルリンパ節でどのようにしてがん細胞の増殖が抑制されるかを知ることは、がんのリンパ節転移のメカニズムを解明するためにきわめて重要と考えられます。

リンパ節への転移は、がんの病期進行を判断するうえできわめて重要な現象です。患者の予後を評価するうえでも、原発病巣から所属リンパ節を越えて離れた部位（臓器）への遠隔転移の有無が問題となります。

がんのリンパ節転移は、臨床的に古くから知られている頻度の高いがん転移形式です。しかし、そのメカニズムはいまだ完全には解明されていません。今後、多くのがんで、センチネルリンパ節理論の概念の妥当性が臨床試験によって客観的に証明され、センチネルリンパ節生検による診断結果に基づいて、個々の症例ごとに治療が実践されることが期待されます。

それによって、がんのリンパ節転移形成を解明する手がかりが得られ、診断と治療における新たな進展が得られるに違いありません。

おわりに

見えなかったリンパ管

筆者の、大学（医学部）における形態科学（解剖学）の教育・研究生活の歳月はいつの間にか足掛け40年が経過し、主たるテーマであった「リンパ・免疫系の形態と機能」の研究探訪も、大学の定年退職とともについに時間切れとなってしまいました。

基礎医学としての解剖学は、肉眼解剖学と組織学の両方を含み、人体解剖と顕微鏡観察があります。筆者も長年、医学部講座の技能優秀な教官や技術専門職員たちとともに作製したヒトや動物の組織標本を用いた組織学実習（顕微鏡観察）を行ってきました。

およそ30年前のリンパ・微小循環系の組織学実習は、もっぱらヘマトキシリン（青色）とエオジン（赤色）という二つの色素を用いた染色標本の観察でした。通常の組織実習用光学顕微鏡では解像力に限界があり、最高の拡大倍率（２０００倍）でも、一般染色では毛細管レベルのリンパ管と血管の区別は容易でなく、実習学生を悩ませていました。

当時のことは、今も忘れられません。組織実習中、熱心な医学生たちは、顕微鏡の視野を示しながら「先生！　ここに見えている細い管は毛細リンパ管ですか、毛細血管ですか？　それともただの組織間隙ですか？」と鋭い質問をよくしてきました。

指導するわれわれ教官たちも、しばしば「ちょっと待てよ！」と判定に躊躇したものです。「どれどれ、教官（胸管）ならわかるだろう」（確かに、太いリンパ管である胸管は一目でわかるのです）とくだらない駄洒落をいいながら、学生の示す顕微鏡視野を覗き、何とかごまかすのに苦労する状況でした。

それでも食い下がって質問をつづける根性のある学生に対しては、管壁の厚さの違いなどから、リンパ管と血管との区別が比較的容易な三つの管——運がよければ動脈・静脈・リンパ管の三つの管——を探し出して（85ページ図3－4a参照）、「管壁の厚いほうが血管、薄いほうがリンパ管だよ」と説明して、何とかその場をおさめるという苦い経験の連続でした。

当時はまだ、染色標本や教材、観察・測定機器なども十分ではなかった時代でしたが、実習室は学生たちの熱気で溢れ、みんなで顕微鏡を覗いていたら、いつの間にか外は真っ暗になっているという楽しい実習風景でした。彼らの多くはその後、臨床医として研鑽を積み、現在は超多忙な医療現場の第一線で白衣をひるがえして活躍しています。

そのような教育・研究状況でしたから、リンパ管の構造と機能の研究領域においては、ともかく「何とかこの目でリンパ管の源流を見たい！」「リンパ管を血管と明確に区別して見たい！」

という思いが強かったのです。

こうした組織学教育の現場の実状と、「リンパの流れ」を解明するための毛細リンパ管の形態科学的研究という、まさに教育と研究が表裏一体となった古くて新しい〝リンパ学研究の旅〟が始まりました。あれから数十年が経過したこんにち、こつこつとつづけられた基礎研究の成果が、本文で紹介したような「リンパ浮腫」や「がんのリンパ節転移」などに関する病理診断や治療など、臨床医学の発展へとつながってきているのです。

「リンパは流れる」

昭和30年代頃といえば、筆者と同世代の人たちには懐かしい青春時代であり、反戦運動の盛んな時期と重なります。当時の街角には喫茶店が数多くあり、学生やサラリーマン、若い恋人たちが集って、一杯のコーヒーを前に、音楽を聴いたり読書をしたり、楽しく語り合う姿が見られました。ギターやアコーディオンなどの生演奏で、そこに集う仲間たちが合唱する〝歌声喫茶〟というのもありました。

それは市民の生活の中に溶け込み、一つの時代の文化の場とでもいえる風景でした。そんな時代、国内外で〝川は流れる〟という曲目の二つのフォークソングが生まれ、短い年月でしたが街に流れていました。

「はじめに」で記した「リンパは流れる」（5ページ）は、リンパの流れを、広い山野から始まる小さな源流（毛細リンパ管）が、小川（リンパ管）からやがて本流（リンパ本幹）となって脈々と流れていく姿にたとえ、リンパ学の研究に没頭した筆者の若き日の熱き思いを込めたものです。そして、長い年月を経た今日、当地豊後の国・大分市で若き医学徒たちのリンパ研究の熱い討論の集会である「リンパ微小循環研究会」（大分大学医学部放射線医学講座主催）が、昨秋で第14回を迎え、脈々と続いています。

リンパ形態科学研究の夢

科学は、歴史的に眺めると「形態の追究」から始まったものと考えられ、生命科学における形態学は、きわめて初歩的であると同時に最も根源的な学問領域といえましょう。形態科学は医学・生物学の歴史の初期において、最も大切な役割を果たしてきました。しかし、生化学や分子生物学の発達したこんにちでは、残念なことに形態科学的研究手法（たとえば、電子顕微鏡による観察）は激減する傾向にあるように思われます。

「形態科学の復権」への期待はともかく、科学研究で重要なことはその独創性、新規性、創造性です。そして、簡単には生まれない独創性や新規性を育むために、研究者は科学のどの分野においても自ら〝科学研究の種子〟を播き、それを育てていくことがきわめて重要です。

他人の畑の流行を追うのではなく、自分自身の畑で新たな研究を育てなければなりません。研究者は独創性を求めて自ら考え、独自の学問を育てていくよう努力すべきです。陳腐と思われがちな基礎医学の分野においても、豊富な未発見の創造性の種子が隠されているのです。

自己の研究で、「いかに独創性を発揮して、それをどう展開していくか」は、各研究者の矜持に関わる問題です。「毛細リンパ管を見たい」という小さな夢は、組織化学法の開発・応用によって画期的な成果を生み、長年、研究の隘路となっていた壁を突破し、リンパ学研究の新しい展開をもたらしてくれました。その波は、20世紀初頭のリンパ学研究の成果を基盤としながらも、20世紀後半から今世紀にいたる二十数年あまりの短期間で進展してきたものです。

こんにちの世界におけるリンパ学研究の進展・隆盛にいたる一里塚として、初期のわが国の若きリンパ学者たちの活躍には輝かしいものがあります。そして、21世紀の「微小循環学」「免疫学」「腫瘍学」を合体した『新しいリンパ学』という学問体系の創生と、近い将来の臨床リンパ学の大いなる発展が期待されます。

「リンパ学」という学問領域に少しでも興味をもっていただき、生体機能の表舞台に登場する『新しいリンパ学』という学問体系の創生に夢を膨らませていただければ、筆者にとって望外の喜びとするところであります。

本書を出版するにあたり、リンパ学関連の諸先生方、リンパ微小循環研究会（大分）の朋友たち、そして、テキサス大学MDアンダーソンがんセンターの須網博夫先生、後藤学園附属リンパ浮腫研究所長の佐藤佳代子先生、リムズ徳島クリニック院長の小川佳宏先生など、多くの方々にご協力・ご支援をいただきました。執筆をたえず励ましてくださった熊本大学名誉教授・小谷正彦先生に敬意と感謝の意を表します。なお、編集に色々ご協力・ご尽力いただきました講談社ブルーバックス出版部の倉田卓史氏に篤く御礼申し上げます。

2013年初夏

著者

【や行】

【ら・わ行】

【さ行】

【か行】

さくいん

【人名】

【アルファベット・数字】

【あ行】

N.D.C.491.129　238p　18cm

ブルーバックス　B-1820

リンパの科学《かがく》
第二の体液循環系のふしぎ

2013年 6 月20日　第 1 刷発行
2025年 2 月17日　第11刷発行

著者　加藤征治《かとうせいじ》
発行者　篠木和久
発行所　株式会社講談社
〒112-8001 東京都文京区音羽2-12-21
電話　出版　03-5395-3524
販売　03-5395-5817
業務　03-5395-3615
印刷所　（本文表紙印刷）株式会社ＫＰＳプロダクツ
（カバー印刷）信毎書籍印刷株式会社
製本所　株式会社ＫＰＳプロダクツ

定価はカバーに表示してあります。

ISBN978−4−06−257820−2

発刊のことば

科学をあなたのポケットに

二十世紀最大の特色は、それが科学時代であるということです。科学は日に日に進歩を続け、止まるところを知りません。ひと昔前の夢物語もどんどん現実化しており、今やわれわれの生活のすべてが、科学によってゆり動かされているといっても過言ではないでしょう。

そのような背景を考えれば、学者や学生はもちろん、産業人も、セールスマンも、ジャーナリストも、家庭の主婦も、みんなが科学を知らなければ、時代の流れに逆らうことになるでしょう。

ブルーバックス発刊の意義と必然性はそこにあります。このシリーズは、読む人に科学的に物を考える習慣と、科学的に物を見る目を養っていただくことを最大の目標にしています。そのためには、単に原理や法則の解説に終始するのではなくて、政治や経済など、社会科学や人文科学にも関連させて、広い視野から問題を追究していきます。科学はむずかしいという先入観を改める表現と構成、それも類書にないブルーバックスの特色であると信じます。

一九六三年九月　野間省一